KB133586

오늘도
짓는 생활

농사를 짓고 글도 짓습니다

오늘도 짓는 생활

초판 1쇄 2022년 12월 7일

지은이 남설희

편집 김화영
디자인 김기현

펴낸이 박혜영
펴낸곳 아무책방
주소 서울시 은평구 서오릉로 253 102동 702호 (03424)
등록번호 제 2021-000073호
전화 010-5298-0631
이메일 amubooks@naver.com
인스타그램 @amubooks
홈페이지 amubooks.modoo.at

ISBN 979-11-978906-1-1

이 책은 서울문화재단
'2020년 첫 책 발간 지원사업'의 지원을 받아 발간되었습니다.

제목과 본문에 사용된 문체부 쓰기 정체의 저작권자는 문화체육관광부이고,
(사)세종대왕기념사업회 누리집에서 다운로드 받아 사용하였습니다.

남설희
에세이

오늘도 짓는 생활

농사를 짓고 글도 짓습니다

아무책방

세월이 지나도 변함

2019년 나는 마로니에 여성 백일장에서 산문 부문 장원을 받아 등단하게 되었다. 당시 여러 글제가 있었는데 마음에 와닿는 건 없었다. 그래서 별 기대 없이 매일 일기를 쓰니까 어제 쓴 일기 내용으로 글이나 쓰고 기념품이나 챙기자 생각하며 '일기장'이란 글제를 골라 글을 써냈다. 나는 이 백일장에 여러 번 참가했기 때문에 풍문으로 수상자는 미리 전화 통보를 받는다는 이야기를 들었다. 나에게는 전화가 오지 않았다. 당연히 낙방했다 생각했지만 그런데도 시상식에 남아 있었던 건 기념품 때문이었다. 동아제약에서 주최하는 거라 기념품이 좋았다.

모든 발표가 끝나고 마지막 산문부 장원이 남아 있었다. 나는 제일 먼저 기념품을 받기 위해 기념품 나눠주는 부스로 슬금슬금 달려갈 준비를 하고 있었는데 내 이름이 들렸다. 동명이인인가? 내 이름이 흔했나? 그래도 혹시 몰라 단상으로 뛰어갔다. 패기 있게 올라갔지만 진짜 주인이 올라올까 봐 두려웠다. 다행히 확인 결과, 장원은 정말 나였다.

상을 받아 좋긴 했지만 이렇게 등단해도 되는가 걱정스러웠다. 내가 생각한 장원은 잘 쓴 글이다. 특히 마로니에 여성 백일장 산문 부문 장원작들은 문장들이 수려해 공부 삼아 몇 번이고 필사를 한 적이 있다. 그런데 일기 같은 나의 글이 당선되다니. 게다가 이 백일장 장원 수상자에게는 〈에세이문학〉 등단 자격이 주어진다. 당선 직후 〈에세이문학〉에서 연락이 와 조심스레 물어보았다. 그냥 등단 안 하면 안 되나요?

지금 생각해도 죄송스럽다. 나는 갑작스러운 등단에 작가라는 확신이 서지 않았다. 우연히 운이 좋았다 생각했다. 등단했다고 해도 삶은 달라지지 않는다. 다만 자격증과 비슷하다. 나는 이 자격증을 써먹고 싶었다. 그래서 2020년 서울문화재단 '첫 책 발간 사업'에 지원했다. 이때도 될 거라 생각 못 했다. 신춘문예 당선자도 아니고 문예지 당선자도 아니다. 백일장으로 등단했고 작품 활동도 별로 없는데 과연 될까. 되면 좋은 거지만. 가볍게 생각했는데 정말 됐다.

되고 나니 또 걱정되었다. 내가 정말 책을 낼 수 있을까?

수필을 쓰기 전까지 밖에 있을 때마다 패배자가 된 것 같았다. 작가 지망생이지만 나는 영원히 글을 쓰지 못할 것 같았고 빛나는 것들에 열등감을 느꼈다. 일기는 글을 쓰지 못하는 방편의 글쓰기였다. 일기는 형식이 없다. 그냥 쓰면 된다. 주로 그날의 기록을 적었다. 괴로우면 괴로운 일을 적고 슬프면 슬픈 일을 적었다. 괴로운 날은 일을 많이 한 날이고 슬픈 날은 아무것도 하지 않은 날이었다.

힘들고 괴롭고 슬프고 미래가 보이지 않았지만 그래도

나는 앞으로 나아가고 싶었다. 언제가 큰 당숙 할머니가 집 앞 가로등 때문에 들깨가 자라지 않는다고 하셨다. 신기했다. 빛 때문에 들깨가 자라지 않는다니. 들깨뿐만 아니라 다른 작물도 그렇다. 나는 이런 이야기들을 마음에만 품고 있었다. 그것이 어떻게 글이 될지 몰랐다. 그냥 일기장에 적어 놓았다.

그렇게 적은 일상의 조각들은 사유가 되어 수필이 되었다.

엄마, 아빠, 샛별, 슬기, 제부, 산이. 우리 가족은 내 글쓰기의 시작이다. 늘 가족에게 배운다. 외삼촌, 외숙모에게도 감사하다. 외삼촌, 외숙모가 우리 집 근처에 내려오면서 우리 집을 많이 도와주셨다. 그중 가장 큰 도움을 받은 건 나다. 두 분이 아니었으면 하루 만에 끝날 일을 며칠 더 했을 것이고 나는 많이 괴로웠을 것이다. 정말 은인이다. 큰 당숙 할머니도 감사하다. 할머니도 우리 집 일을 많이 도와주신다. 나는 할머니의 이야기를 좋아한다. 가끔 그 힘으로 일할 때도 있었다. 나의 뮤즈, 오랫동안 할머니의 옛날이야기를 듣고 싶다.

출판사 '아무책방' 박혜영 대표님도 감사하다. 처음에는 같이 글을 쓰는 인연으로 만났는데 이제는 내 책을 만들어주신 고마운 분이다. 핏줄은 아니지만 효도하겠습니다. 출판사 '책나물' 대표님이자 편집을 맡아주신 김화영님도 감사하다. 보내주신 교정글은 보물로 간직하겠습니다. 북디자이너 김기현님도 감사하고 감사합니다. 이 세 분 덕분에 책이 나올 수 있었다.

서울문화재단도 감사하다. 재단의 후원이 아니었다면 나는 책을 낼 용기를 내지 못했을 것이다. 음성 수필 교실 반숙자 선생님, 그리고 수필 교실 선배님들. 나는 이분들의 다정한 사랑을 받으며 수필을 배웠다. 언제나 감사합니다.

한 번도 표현한 적은 없었지만 〈음성신문〉도 감사하다. 이 수필집의 절반은 〈음성신문〉 고정 칼럼을 엮은 것이다. 칼럼이 없었다면 나는 수필집을 내지 못했을 것이다. 칼럼은 수필 교실 박명자 선배님의 추천으로 쓰게 되었다. 정말 고개 숙여 감사합니다.

문창과 동기 보라, 햇님도 고맙다. 이 둘은 나보다 더 잘 될 거라 믿는다.

그 밖에 호명하고 싶은 분들이 많지만, 폐가 될까 적지 못하겠다. 모두 감사합니다.

동생들은 나에게 언니는 이제 작가 지망생이 아니라 작가라고 말한다. 하지만 나는 아직 작가라는 말이 어색하다. 여전히 배워야 할 것이 많다. 읽어야 할 것도 많다. 나는 좀더 많이 써야 한다. 글 앞에서는 언제나 낮은 자세로 살고 싶다. 그렇게 글을 쓰다 보면 언젠가 스스로 작가라고 말하는 날이 오지 않을까. 그날을 위해 오늘도 짓고 또 짓는다.

차례

봄

※

그림자와 그늘

그림자는 빛이 낳은 사생아다. 그늘에 앉아 맞은편 고목을 바라보며 문득 그런 생각을 했다. 싹이 트지 않은 저 고목도 색(色)을 지니는데 고목의 그림자는 오직 시린 어둠뿐이다. 빛의 손길이 닿은 모든 사물은 저마다 빨갛고 노랗고 하얀 자신만의 색을 지닌다. 그림자만 자신의 색이 없다. 까맣지도 하얗지도 않다. 불투명한 어둠은 중심이 없고 시간에 따라 불안하게 흔들린다. 그 모습이 나와 닮았다. 나는 빛나는 것에 열등감을 느낀다.

콩밭 비닐을 벗기는 중이었다. 원래 좀더 일찍 벗겼어야 했는데 일이 바빠 수확이 늦어졌고 금세 겨울이 왔다. 겨울에는 땅이 얼어 비닐 벗기기가 힘들다. 이제 봄이 와 땅이 녹았다 싶었는데 눈이 내렸다. 다행히 삼월 봄눈이다. 얼 새도 없이 바로 녹긴 했지만 땅이 질어도 비닐 벗기기가 어렵다. 핑계가 반이다. 나는 부모님이 시키기 전까지 일하지 않는다. 농사일은 내가 돕는 거지 내 일이 아니라고 생각한다. 그렇다면 내 일은 뭘까? 생각하니 나의 그림자는 더욱 깊어진다.

서른을 훌쩍 넘긴 나는 뚜렷한 직업도 없고 인간관계도 좁다. 그렇다고 불행하다거나 괴롭지도 않다. 게다가 어딜 나가는 것도 귀찮아 집 밖에 잘 나가지도 않는다. 사방이 어둠뿐인 굴속엔 그림자는 보이지 않는다. 굴은 내 유일한 안식처다. 저마다 빛을 받으면 색을 띠는 사람과 달리 나는 깊은 그림자일 뿐이다. 나는 그림자를 숨기기 위해 더 깊은 굴로 들어간다. 나는 나의 그림자가 부끄럽다.

나를 갉아먹는 생각을 멈추고 자리에서 일어났다. 비닐 벗기는 일은 쉬워 보여도 요령이 필요하다. 무작정 비닐을 잡아당기면 바로 끊어진다. 끊어진 비닐을 다시 줍는 것도 일이다. 밭골이 짧은 것이 아니기에 비닐이 끊어지지 않도록 힘을 조절하며 벗긴다. 한쪽을 먼저 들고 다른 한쪽은 옆으로 잡아당긴다. 비닐은 나와 45도 간격을 유지하는 게 좋다. 들고 당기고, 들고 당기고… 마치 멸치잡이 어선이 그물을 잡아당기는 것처럼 비닐이 들썩들썩한다.

정신없이 비닐을 벗기니 뜨끈뜨끈한 아지랑이가 등에서 피어오른다. 가장자리는 두둑을 하지 않은 채 삽으로 덮어 당기기 힘들었지만 마지막까지 끝내자 끝냈다는 안도감에 깊은숨이 나왔다. 나는 굽어진 허리를 뒤로 젖히고 고목 아래에 앉았다. 때마침 바람도 서늘하게 분다. 수고했다 칭찬해주는 것 같아 기분이 좋다.

산을 끼고 있는 이 밭의 주인은 도회지 사람이다. 산에 반한 밭주인은 이 밭을 개간해 전원주택 부지로 팔 생각이었으나 산이 깊고 오르막이라 마땅한 임자가 나타나지 않고 있다. 그렇다고 땅을 놀릴 수 없어 우리 집이 저렴한 가격으로 도지를 내고 밭을 부치고 있다. 그래서 이곳은 다른 곳보다 빨리 그늘이 진다. 산 아래 농로까지 내려온 그림자는 어둠이 흘러내린 자국 같다. 우리 가족은 저 그늘에서 새참을 먹기도, 쉬기도 했다. 자연이 마련해준 쉼터다. 밭을 구할 때 중요한 것은 그늘이다. 특히 여름날 그늘은 한 줌조차 소중하다. 참을 먹지 않더라도 숨만 돌릴 수 있다면 고목의 그늘도 환영이다.

쉬운 마음으로 작가가 되고 싶었다. 어떤 글을 쓰고 싶다는 각오도 없었다. 그때그때 순간을 모면하는 글만 써왔다. 이제야 조금 무엇을 쓰고 싶다는 마음이 생겼지만 확신은 없다. 이쪽도 저쪽도 선택할 수 없는 나는 매일 흔들린다. 그럴수록 나의 그림자는 점점 깊어졌다. 빛을 향한 열등감은 사실 동경이었다.

해는 아직 중천이지만 아까보다 깊어진 산 그림자는 어느새 콩밭까지 내려왔다. 고요한 산 그림자는 무거운 침묵 같다. 그 침묵이 내게도 서늘하게 그늘진다.

깊은 그림자는 짙은 그늘이 된다. 농로에 흘러내린 산 그림자를 보며 어둠이 되기보다 그늘이 되자 생각해본다. 내 불안과 걱정으로 만들어진 그림자가 누군가에 겐 시원한 쉼터가 되었으면 좋겠다.

집으로 내려가기 위해 엉덩이를 털고 기지개를 켰다. 희망이 부르르 떨린다.

소원에도 색깔이 있다면

소원에도 색깔이 있다면 분명 맑은 상앗빛일 것이다. 얼마나 많은 소원이 달에 닿았기에 저런 빛을 띨까. 유난히 큰 보름달을 보며 자연스럽게 두 손 모아 소원을 빈다. 나는 고대 주술사처럼 자주 소원을 빈다. 달뿐만 아니다. 지나가는 고양이에게도 돌에게도 빨간 차에게도 소원을 빈다. 나는 바라는 것에 익숙하다.

연탄을 갈고 시계를 보니 새벽 1시가 조금 넘었다. 아빠는 새벽에 일찍 출근하시고 엄마는 아빠 아침과 도시락을 싸드려야 하기에 이른 잠을 주무신다. 덕분에 새벽에 연탄을 가는 건 내 몫이다. 그렇지만 그 수고도 이번 주면 끝이다.

작년까지만 해도 우리 집은 농사를 크게 지었지만 올해는 많이 줄였다. 대신 아빠는 산에 나무를 베러 다니는 일을 하신다. 농사로는 동생 대학 등록금을 마련할 수 없다. 일하는 곳은 집과 멀어 새벽 5시에 출발하신다. 나는 아빠가 출근을 하면 그제야 잠자리에 든다. 잘 다녀오시라는 말은 언제나 목 언저리에 숨어 있다. 아빠도 내가 그때까지 잠을 자고 있지 않다는 걸 알고 있을 것이다. 언젠가 내 방문 틈으로 아빠가 나를 바라보고 있다는 걸 느꼈다. 아빠는 그 작은 틈새로 잠시 나를 지켜보시더니 화장실로 들어가셨다. 나는 죄스러운 마음에 숨을 죽였다. 새벽 4시였다.

나는 구직 단념자다. 엄마는 농담 삼아 누가 나에게 직업을 물어보면 농사를 짓는다고 말하라 한다. 따지고 보면 농담은 아니다. 나는 부모님 농사를 돕고 있다. 말뚝을 나르고 모판을 나르고 돌을 줍고 풀을 뽑고…… 한 줄로 나열할 수 없을 만큼 잡다한 일을 한다. 그뿐이다. 스스로 독립하고도 충분한 나이지만 나는 바라는 것에 익숙하다. 나를 바라보는 부모님의 가슴은 파란 멍이 아닌 분명 상앗빛 멍이 새겨졌을 것이다.

나는 효험이 뛰어나지 못한 무능력한 주술사이며 부모
님은 유일한 내 신도다.

아침 준비와 도시락을 싸신 후 엄마는 고추모와 파모
에 물을 주고 땅콩을 심으러 가셨다. 같이 나갔다면 점
심 전에 끝났을 일이다. 식탁에는 내가 좋아하는 상추
겉절이가 놓여 있었다. 어느새 점심이다. 나는 제대로
눈도 뜨지 못한 채 상추 겉절이를 아무렇지 않게 먹는
다. 엄마는 점심을 먹고 나서 같이 땅콩을 심자고 했
다. 나는 알았다 했으면서 또다시 잠에 빠지고 말았다.
일어나니 오후 3시. 나갈까 말까 고민 속에 나는 호미
를 들고 밭에 나갔다. 죄송한 마음에 깨우지 그랬어,
하고 괜한 성을 낸다. 엄마는 자는 사람 깨워 뭐 해, 하
셨지만 얼굴은 웃고 계셨다.

고대 주술사가 쇠락한 이유는 사람들이 달을 믿지 못
해서가 아니다. 주술사는 아무것도 하지 않은 채 소원
만 빌었다. 달마저 없었더라면 주술사는 진즉 사라졌
을 것이다. 나는 그럴수록 열심히 소원을 빌었다. 세상
에 내몰리지 않기 위해, 빈 껍데기라도 악착같이 살고

싶어서, 현실을 잊기 위해서, 나에게는 달이 필요했다.

작년 9월, 비는 지겹게 내렸다. 고추를 딸 때마다 비가 왔다. 아빠, 엄마, 고추 따주시는 할머니들은 빗속에서 묵묵히 고추를 따셨다. 9월 9일에도 비가 왔다. 그러나 나는 그곳에 없었다. 백일장에 갔다. 할머니들은 내 안부를 물었을 것이다. 무슨 중요한 일이기에 고추 따는 날, 맏딸이 오지 않는가. 보수적인 할머니들은 가뜩이나 날 못마땅해하셨다. 그때마다 나는 달 뒤로 숨었다.

며칠 전 고추 심는 날이었다. 나는 전날 엄마에게만 그날 백일장이 열린다 말했다. 하지만 가지 않을 생각이었다. 이번엔 일꾼을 얻지 않았다. 아빠가 구멍을 뚫으면 내가 모를 넣고 엄마가 흙을 덮는다. 한 단 정도라 한나절도 안 걸릴 것이다. 아빠는 저녁을 드시고 나보고 내일 어디 가냐 물었다. 나는 백일장이 열리는데 가지 않을 거라 했다. 아빠는 아무 말도 하지 않으셨다. 아빠는 말 대신 때로 침묵으로 말씀하시는데 이번에는 가도 된다는 침묵이었다. 나는 또 한 번 달 뒤로 숨었다.

나는 여전히 달에게 소원을 빈다. 부모님이 건강하시 길, 동생들이 잘되길, 좋은 글을 쓸 수 있기를…… 내 소원 때문인지 달은 한층 맑은 상앗빛을 띤다.

페

부침개 부치는 날

옛날부터 내가 사는 곳은 결혼식 전날 부침개를 부치는 풍습이 있다. 잔칫날에는 기름 냄새를 풍겨야 한다며 기름을 많이 쓰는 부침개를 잔뜩 부쳐 사방으로 기름 냄새를 풍긴다. 부침개 부치는 날이지만 부침개만 먹는 게 아니다. 부침개는 기름 냄새를 풍기기 위한 음식일 뿐 반찬이나 안주다. 엄마와 나는 고민 끝에 점심에는 잔치국수, 저녁에는 육개장을 하기로 했다. 반찬은 엄마가 허리가 좋지 않아 뷔페식당에서 주문했다. 소불고기, 잡채, 해파리냉채, 홍어무침, 멸치꽈리무침 다섯 가지다. 집에서 하는 건 잔치국수와 육개장만 하는 줄 알았는데 아니었다. 배보다 배꼽이 더 커졌다.

막냇동생이 결혼한다. 막내는 나와 일곱 살 차이로 아직도 집에서 '애기'라고 불러 언제나 애기인 줄 알았는데, 어느새 나와 둘째를 제치고 먼저 어른이 되었다. 아직도 막내의 결혼이 낯설다. 타지 생활을 오래 했던 막내는 거의 10년 만에 집으로 돌아와 집 근처에서 직장을 구했다. 몸도 마음도 많이 힘들었을 것이다. 이제 겨우 같이 사나 했는데 내려온 지 한 해도 안 돼 결혼하고 싶다고 해서 우리 가족은 깜짝 놀랐다. 막내가 남편감으로 데리고 온 남자는 같은 직장에서 근무했던 사람이었다.

엄마는 처음으로 딸의 결혼 준비를 돕는 거라 이것저것 신경이 많이 쓰이나 보다. 결혼식은 식장에서 머리고 화장이고 음식이고 다 알아서 해주지만 부침개 부치는 날은 아니다. 온전히 엄마 몫이다. 덕분에 같이 사는 나도 괜히 신경이 쓰였다.

이날은 김장하는 날과 비슷하다. 준비가 더 오래 걸린다. 부침개에 넣을 쪽파, 양파, 부추를 다듬고 잔치국수 육수에 넣을 멸치와 대파도 다듬는다. 몇 명이 먹을 음식이 아니고 몇십 명이 먹어야 할 음식이기에 다듬는 양이 상당하다. 엄마가 사람들을 만날 때마다 부침개 드시러 오라고 할 땐 단순히 부침개랑 반찬 몇 개만 하는 줄 알았는데 점점 일이 커졌다. 마트에서는 맥주와 소주, 음료수, 생수도 몇 상자를 샀다.

아침부터 동네 아주머니들과 친척 할머니들이 부침개를 부치러 오셨다. 이제 시작이다. 부침개는 밀가루만 5kg에 속재료까지 넣으니 김장 속재료처럼 푸짐했다. 엄마는 밀가루보다 속재료가 많아야 맛있다고 생각해 평소보다 양을 많이 잡았다. 이걸 본 당숙 할머니는 사람들 초대해놓고 풀 쪼가리를 내놓으면 예의가 아니라며 밀가루를 더 가져오라 성화셨다. 엄마가 집에 있는 밀가루를 다 넣었다고 해도 할머니는 그럼 당신 집에서 밀가루를 가져오겠다며 꼼짝 말고 기다리라고 했다. 다른 아주머니들도 이게 더 맛있다고 해도 막무가내다. 결국 당신 고집대로 밀가루를 가져와 사람들 의견은 안중에도 없이 그대로 부침개 대야에 밀가루를 쏟아부었다. 덕분에 부침개 양은 배로 늘었다.

아빠는 마당에서 솥을 준비하고 계셨다. 잔치국수 육수는 마당에 있는 솥에다 끓이기로 했다. 육수에는 황태 대가리, 멸치, 대파, 양파, 고추씨, 표고 꼭지를 듬뿍 넣었다. 솥이 끓고 있는 동안 엄마와 아빠는 뷔페에 맞춘 음식을 가지러 가셨고 나는 부침개에 찍어 먹을 달래간장을 만들었다. 국수 삶을 물을 올리고 안주에 넣을 오이를 썰고 마늘대초무침도 무쳤다.

그사이 엄마, 아빠가 맞춘 음식과 떡을 가져왔다. 제일 먼저 부침개를 부치시느라고 고생하시는 동네 아주머니들에게 간도 볼 겸 먼저 대접했다. 다행히 간이 맞고 떡도 맛있다고 해서 안심이었다. 국수를 삶고 상을 펴다 보니 금방 점심이다. 반찬은 더 늘었다. 국물이 있어야 한다고 물김치를 내놓고 김치는 당연히 있어야 하고 당숙 할머니가 씀바귀를 가져와 씀바귀도 무쳤다. 잔치국수 고명에는 애호박무침, 계란지단, 시금치나물, 김가루 등 네 가지를 올렸다. 주문한 반찬과 떡, 부침개를 내놓으니 큰 상이 금세 빽빽이 채워졌다. 상을 채우고 젓가락을 놓으니 한두 명, 동네 사람들이 오기 시작해 어느새 줄줄이 오셨다. 동네 할머니들도 많이 오셨다.

우리 집은 3년 전, 새로 집을 지어 이사했다. 마을과 떨어진 우리 집은 집들이를 하지 않았지만 차가 있는 동네 사람은 한 번씩 오셔서 구경하시고 가셨다. 하지만 다리가 불편한 동네 할머니들은 건너건너 이야기로만 들어 많이 궁금해하셨다고 했다. 이참에 겸사겸사 집 구경도 한다며 지팡이나 보조보행차를 끌고 힘든 걸음을 하신 것이다. 그렇지 않아도 경로당에 음식과 떡을 보내드리려고 했는데 정말 감사했다.

생각지도 못하게 동네 사람들이 많이 오니 당숙 할머니는 이러다 예약한 관광버스가 텅텅 비면 어쩌라고 다들 왔냐며 걱정하셨다. 결혼식장은 이곳에서 차로 30분 거리라 굳이 관광버스까지 대절하지 않아도 상관 없었지만, 친척들뿐만 아니라 술 좋아하시는 아빠 친구들을 위해 대절한 터였다.

점심 손님이 썰물처럼 빠져나가 쉬는 것도 잠시, 바로 육개장 준비를 시작했다. 저녁은 거의 아빠 손님과 멀리 오신 친척들이다. 대부분 술손님이라 오이아삭이고 추와 진미채, 땅콩을 더 내놓았다. 설거지거리가 많이 생길까 봐 접시고 젓가락이고 다 일회용으로 썼는데 이상하게 자꾸 설거지가 쌓였고, 캔과 병도 분리해야 하니 손 가는 일은 끝이지 않았다.

밤 9시가 되자 손님들은 하나둘씩 가셨고 마지막으로 당숙 할머니도 가셨다. 아침부터 저녁까지 당숙 할머니는 잔칫날에 사람이 없으면 안 된다며 자리를 계속 지켜주셨다. 부침개 밀가루가 적다, 음식을 뭐 하러 많이 했냐, 동네 사람들이 너무 많이 왔다 등 계속 잔소리를 하셨지만 다 우리를 걱정하는 마음이라는 걸 알고 있다. 가시면서도 내일 아침은 꼭 미역국을 먹으라고 당부하셨다. 결혼하는 날은 어른이 되는 첫날이니 미역국을 먹어야 한다고 했다.

모두 떠나자 좁게만 느꼈던 우리 집 거실이 굉장히 넓어 보였다. 결혼식보다 부침개 부치는 날을 더 걱정했던 엄마는 이제 홀가분하다 하셨다. 대접은 힘들었지만 이날을 그냥 흘려보냈다면 동생을 보내야 한다는 마음에 더 쓸쓸했을지도 모른다. 우리 세대들은 친척들과 교류가 깊은 세대는 아니다. 가족이 더 가깝고 사

촌이라도 서먹한 경우도 많은데 동생을 위해 결혼을
축하해주는 모습을 보니 더 정답고 가깝게 느껴졌다.
이제는 이런 부침개 부치는 날도 점점 사라지고 있다.
그래서일까, 결혼식보다 더 뜻깊은 하루였다.

고추모 시집가는 날

드디어 고추를 심는다. 그동안 계속 시기가 맞지 않았다. 논이었던 밭은 물이 잘 마르지 않았다. 물이 마르지 않는 땅은 딱딱하기 때문에 복토가 힘들다. 그래서 땅을 최대한 말리려고 했지만 올해는 봄비가 잦았다. 결국 아빠는 땅 말리기를 포기하고 로타리를 쳤다. 내일은 또 비 소식이 있어 마음이 더 급해지셨다.

반쯤 감긴 눈으로 고추 모판을 마당으로 옮기고 있을 때 아빠가 일꾼들을 모셔오셨다. 모두 동네 분들로 그중 두 분은 친척 할머니다. 동네 아주머니는 마당의 고추 모판을 보더니 "고추모 시집가는 날이네." 하며 들뜬 목소리로 말씀하셨다.

엄마가 타준 달달한 믹스커피에 어느 정도 잠이 달아났다. 그동안 엄마와 아빠는 가스버너와 냄비, 그릇을 담은 고무대야와 새참과 간식거리, 물을 담은 스티로폼 상자를 트럭에 실었다. 그것만 해도 한살림이다. 스티로폼 상자 뚜껑 글씨에 눈이 간다. '불고기, 홍어'라고 적혀 있다. 이 상자는 부침개 부치는 날, 손님들에게 대접하기 위해 포장했던 음식 상자였다. 이곳에선 잔칫날에는 기름 냄새를 풍겨야 한다며 부침개를 부친다. 그날은 부침개를 비롯한 여러 음식과 술을 내놓는데 동네 분들이 많이 도와주셔서 쉽게 일을 치를 수 있었다. 이제 막냇동생은 결혼을 하고 이 스티로폼 상자만 덜렁 남았다.

서둘러 밭에 도착하자마자 할머니들과 아주머니들이 밭을 둘러보았다. 당숙 할머니는 왜 이렇게 큰 밭을 얻었냐며 아빠에게 역정부터 내신다. 아빠는 그래도 돌이 많아 고추 하기 좋을 거라 했다. 무엇보다 이 밭은 수로가 옆에 있어 물을 쓰는 데 편리했다. 고추를 심을 땐 소독대로 구멍을 뚫어 심는다. 구멍에 충분히 물을 준 다음 모를 심어야 모가 마르지 않고 뿌리도 잘 내린다.

고추모를 꽂으면서 소독줄을 옆 두둑으로 옮긴다. 그
렇지 않으면 기껏 심어놓은 고추모가 줄에 치여 부러
질 수 있다. 다행히 모를 꽂는 사람이 둘이라 허리를 펼
시간이 있다. 걱정했던 흙살은 많이 뭉쳐 있지만 복토
를 못 할 정도는 아니다.

정신없이 일하는 것도 잠시, 슬슬 배가 고파 엄마를 보
니 새참 준비를 하고 계셨다. 얼마 지나지 않아 아빠도
소독기 엔진 시동을 껐다. 아직 골을 다 끝맺지 못해 나
와 지영 엄마가 복토를 도왔다. 인력회사에서 오는 사
람들은 시간만 되면 바로 밭에서 나오는데 동네 사람
과 일을 하면 시간에 상관없이 골을 마치고 참을 드시
려고 한다. 그 마음이 항상 고맙다.

새참은 내가 좋아하는 잔치국수다. 새참 준비는 손이
많이 간다. 아침 7시에 밭에 가야 하기 때문에 그전에
일어나 국수도 삶고 육수도 내야 한다. 간단히 김밥이
나 빵이면 편할 텐데 아직 쌀쌀한 아침이라 따뜻한 걸
먹어야 한다며 잔치국수를 하셨다. 고명은 내가 좋아
하는 김치무침이다. 익은 김치에 양념과 참기름을 조

물조물 무친 것으로 이 김치만 있으면 잔치국수 두 그
릇은 뚝딱이다.

부지런히 국수를 먹고 있는데 차 한 대가 밭으로 들어
왔다. 당고모부였다. 아빠에게 볼일이 있는 당고모부
는 밭으로 내려오면서 스티로폼 상자를 슬쩍 보시더니
"이 집은 인심도 좋네." 하신다. 우리가 무슨 말인가
하고 고모부를 보니 스티로폼 상자를 보며 하시는 말
씀. "여기는 새참으로 불고기도 주고 홍어도 주네." 그
말에 다들 함박웃음이다. 그사이 당숙 할머니는 나무
젓가락을 쪼개 자신의 국수를 당고모부에게 덜어주신
다. 엄마는 당숙 할머니에게 국수를 말아온 채반을 보
여주며 아직 국수 많다고 해도 막무가내다.

한참 먹고 웃으니 아팠던 허리도 많이 나아졌다. 문득
동네 아주머니가 아침에 했던 말이 떠올랐다. 내가 푸
르게 심긴 고추밭을 보며 "진짜 고추모 시집가는 날이
네." 하니 다들 웃으시며 맞다 맞다 하신다. 막내 결혼
식이 생각났다. 그때는 식장에서 깔끔하게 차려입고
의자에 앉아 막내를 바라보았고 지금은 작업복을 입

고 땅에 철퍼덕 주저앉아 심어놓은 고추모들을 바라보고 있다. 하지만 바람은 같다. 무탈 없이 잘 살았으면 좋겠다. 비바람에도 뙤약볕에도 건강하게 잘 자랐으면 좋겠다. 이런 내 마음을 아는지 모르는지 결혼하는 게 뭐 그리 좋다고 마냥 웃던 막내처럼 고추모도 바람 따라 기분 좋게 재잘재잘 웃는다.

내 인생에도 부스터가 있다면

마음을 준비한다는 핑계로 네모난 게임 세상에 빠졌다. 나는 무언가 시작하기 전에는 마음의 준비가 필요하다. 지금 하는 게임은 '캔디 크러쉬'로 모바일 퍼즐 게임이다. 같은 색 캔디를 세 개 이상 모으면 터지는 게임으로 단계별로 미션이 있다.

이 게임에서 중요한 건 하트다. 총 다섯 개의 하트가 주어지는데 게임에 실패할 때마다 하트는 없어지고 게임에 성공하면 하트는 유지된다. 마지막 하트가 사라지자 나는 초조해졌다. 다음 하트가 채워지기 위해선 25분을 기다려야 한다. 승리 미션으로 컬러 폭탄과 한 시간 동안 게임을 무제한 쓸 수 있는 봉지 캔디 부스터를 받았는데, 하트가 없으면 한 시간 무제한 부스터는 무의미하다. 다행히 운 좋게 광고가 떴다. 광고를 보면 하트를 준다. 캔디 크러쉬에선 아이템을 부스터라고 부른다. 나는 부스터와 하트를 모으기 위해 무의미한 광고를 시청한다.

처음부터 부스터를 이용하면 게임은 쉽다. 문제는 부스터가 무제한이 아니라는 것이다. 돈으로 아이템을 살 수 있지만 나름의 철칙이 있다. 게임에 돈을 쓰지 않을 것. 하지만 과연 그것을 철칙이라 할 수 있을까? 하루 24시간 중 거의 두 시간 혹은 그 이상을 게임과 광고 보는 데 쓴다. 광고도 더 나오지 않아 게임을 할 수 없게 되면 후회의 시간이 찾아온다. 차라리 그 시간에 책을 한 장 더 읽었으면. 하지만 게임의 작은 승리는 진짜 사탕처럼 달콤하다. 어쩐지 그것은 정말 노력으로 이룬 성과처럼 느껴졌다.

내 인생에도 부스터가 있으면 얼마나 좋을까? 내가 나아가지 못하는 것은 이런 부스터가 없기 때문이라고 생각했다. 삶의 괴로움을 제거해주는 부스터가 있다면 인생은 조금 더 쉽지 않을까.

며칠 전 합평하는 지인과 내가 쓰는 글 이야기를 했다. 지인은 나에게 얼마큼 썼는지 물었고 나는 좀처럼 나아가지 못해 힘들다 말했다.

글을 쓰기 위해서는 완벽한 상태가 필요했다. 완벽한 준비, 완벽한 마음, 완벽한 문장에서 출발하고 싶었다. 문제는 그 순간은 좀처럼 오지 않는다는 것이다. 사실 어떤 것이 완벽한 건지 잘 모른다. 형체가 없는 완벽을 기다리며 나는 나아가지 못하고 있었다. 대신 게임으로 괴로운 마음을 잊었다. 작은 승리가 진짜 나의 성취인 양 착각하면서.

이제 남은 하트는 없다. 이동 횟수는 한 번, 젤리 하나만 깨면 클리어. 다음 게임으로 나아갈 수 있다. 나는 마음대로 바꾸기나 롤리팝 해머를 사용해서 젤리를 깨고 미션을 클리어할까 고민한다. 그런데 나는 왜 이 게임을 기를 쓰며 통과하려는 걸까.

어쩌면 나는 해야 하는 과정보다 만들어지지 않는 성과에 집착하고 있는지 모른다. 실패라는 낙오가 싫었다. 두려웠다. 실패를 깨줄 부스터가 없던 나는 실패하지 않기 위해 머리로만 생각했다. 그 결과, 나는 하지 않는 사람이 되었다.

게임을 종료했다. 대신 노트북을 켜고 한글 문서를 클릭했다. 여전히 나는 마음의 준비가 되지 않았다. 완벽한 문장은 떠오르지 않았고 써야 할 갈피도 잡지 못했다. 그래도 써보기로 한다. 지금 나에게 필요한 건 완벽이 아니라 지금 시작하는 것이다.

첫 문장을 쓴다.

그 밭에는 도라지꽃이 필까?

도라지값이 금값인가 보다. 얼마나 비싸면 타 지역에서 도라지 농사를 짓는다고 왔을까. 그 땅은 작년 동네 분 땅이었다가 경매로 넘어갔다. 그 땅은 산 아래였고 삼을 했었다. 시골 땅에는 모두 역사가 있다. 누가 얼마를 주고 샀고, 누가 누구와 바꾼 땅이며, 누구에게 물려주었는지, 어떤 작물을 심었는지, 지나가다 누구 땅 이야기가 나오면 한 마디로 끝나지 않는다.

우리는 동네 모든 땅 이야기를 공유하고 있다. 우리의 역사다. 그 땅도 마찬가지다. 그래서 그 땅이 타 지역 사람에게 넘어갔을 때 누구에게 넘어갔는지 다들 궁금해했다. 처음에는 전원주택을 짓는 줄 알았다. 농사를 짓는 데 가림막을 설치하는 일은 없기 때문이다.

트럭이 연이어 들어오자 이상하게 생각한 마을 주민이 물었다. 땅주인으로 보이는 사람은 도라지 농사를 지을 건데 사포닌 성분이 많아서 석회를 뿌리고 퇴비를 주는 거라고 했다. 그런데 트럭을 보니 음식물쓰레기가 덕지덕지 묻어 있었다. 부숙된 퇴비가 아니었다. 땅주인이 말한 퇴비는 음식물쓰레기로 만든 비료였다.

자신들의 방식으로 농사를 짓는다고 하는데 누가 뭐라 할까. 문제는 퇴비 상태와 매립량이었다. 부숙되지 않는 퇴비는 땅을 오염시키고 지하로 침수되면 지하수까지 오염된다. 또한 농지법상 농지를 50cm 이상 파야 할 경우, 관할에 신고해야 한다. 하지만 땅주인은 퇴비를 준다며 굴착기로 땅을 팠다. 흩어서 뿌리는 게 아니라 매립이었다. 도라지 농사는 잘 모르지만, 일반적으로 퇴비를 매립해서 농사를 짓는 경우는 들어보지 못했다.

이 사실을 알게 된 동네 주민들은 화가 났다. 그래서 반대했다. 하지만 우리가 원하는 대로 반대하면 법에 어긋난다고 한다. 음식물쓰레기 비료를 반출한 업체는 아직 법을 어긴 게 없고 오히려 업체가 마을 사람에게 구상권을 청구할 수 있다고 했다. 현행법으로는 그 비료는 문제가 없다고 한다. 이상하다. 우리 동네뿐만 아니라 충북 전체가 그 음식물쓰레기 비료로 골머리 썩고 있는데 문제가 없다니.

비료관리법의 허점이다. 비료관리법에는 평당 비료를 얼마까지 줘도 되는지 법으로 정해진 게 없다. 반출에도 문제가 있다. 음식물쓰레기 비료 업체는 청주시지만 음성군에 신고하지 않고 매립해도 된다고 한다. 음식물쓰레기가 아니라 비료로 가공했기 때문이다.

우리 동네는 법에 없는 것들을 법으로 알고 살았다. 어른을 보면 인사한다. 일손이 부족하면 도와주고, 슬픈 일이 있으면 같이 울어준다. 그게 우리 법이다. 하지만 법을 아는 사람들은 법을 이용한다. 법을 지켜야 할 선으로 보는 게 아니라 선까지는 해도 된다 여긴다. 이번 일로 오랜만에 활자에 찍힌 법이 살에 와닿았다.

며칠 전, 업체에서 보낸 트럭이 다시 다녀갔다. 위에는 음식물쓰레기 비료가 아닌 척 흙을 덮고 있었다고 했다. 그날 이후 동네에서는 조를 짜서 감시하고 있다. 한창 바쁜 농사철에도 불구하고 말이다. 당장 농사보다 마을 환경이 더 중요했다.

밭에는 농사를 지어야 한다. 적어도 시골 농사꾼은 그렇게 생각한다. 언젠가 가림막을 걷어내고 그 밭에 도라지꽃이 흐드러지게 피는 모습을 보고 싶다. 그 땅이 음식물쓰레기 매립으로 단절된 이야기로 끝나는 게 아니라 이번에는 조금 곡절이 있었던 일로 우리에게 남았으면 좋겠다.

페

현수막

가끔 떠오르는 현수막이 있다.「비타민 나무 팝니다 ○
○농장.」

이해되지 않았다. 비타민 나무라니. 영양제 캡슐이라
도 열리는 나무인 건가. 내 머리로는 돈나무에서 진짜
돈이 열린다는 이야기처럼 들렸다. 인터넷에서 찾아보
니 다량의 비타민을 함유한 나무로 극한의 기후와 척
박한 토양에서도 매우 잘 자란다. 열매나 잎으로는 식
품, 음료, 의약품, 주스, 잼, 식초, 술, 과실유, 화장품,
비누 따위의 다양한 제품을 만들 수 있고 뿌리 퍼짐이
좋아 산림 복구에 알맞다고 한다. 그런 나무도 있구나
신기했다.

나는 현수막을 유심히 보는 편이다. 현수막을 볼 때면 전국의 모든 현수막 사진을 찍어 책을 내보면 어떨까 상상한다. 그 지역 풍경보다 때때로 그 지역 어느 곳에 걸린 현수막이 그곳을 잘 말해준다 생각한다. 이 지역에는 이런 문제가 있구나, 이 지역에는 이런 기쁜 경사가 있구나. 고작 한 줄에 마음이 더 친숙해진다.

나는 지역 현안보다 경사가 적혀 있는 현수막을 더 좋아한다. 어느 집안 자손이 공학박사가 되었다든지 서울대에 합격했다든지, 그럼 종친회부터 작은 모임에서까지 현수막을 걸어둔다. 그 기쁨이 나한테도 전해져 마음이 따뜻해진다. 올해 초에도 음성군 여기저기에 붙은 현수막을 보며 모르는 사람이지만 괜히 뿌듯해졌다.

요즘 부쩍 도로에 눈에 띄는 게 있었다. 사이클 선수들이다. 전지훈련이라도 온 것일까? 생각했는데 음성 종합운동장을 지나가 보니 6월 1일부터 5일까지 전국 사이클 경기를 한다는 현수막이 보였다. 궁금증이 해갈되면서 생각지 못한 경기가 반가웠다. 코로나 이후 음성에서는 축제와 경기가 사라졌다. 그런데 전국 단위 대회를 한다니 코로나도 이제 저만치 물러간 기분이 들었다.

내가 사는 마을에서는 현수막을 거는 일이 별로 없었다. 특출한 인물이 있는 것도 아니었고 경사도 없었다. 하지만 올 4월, 음식물쓰레기 비료 업체 덕분에 우리 마을에는 현수막이 잔뜩 걸렸다. 마을에서 걸어놓은 건 몇 개가 전부다. 전부 음성군 지자체나 협회, 각 면에서 보내준 메시지다. 「결사반대, 지역을 위해 늘 고생이 많으십니다. 항상 건강하시고 행복하세요~」 「쓰레기매립반대 운동에 숙박협회가 함께합니다. 원남주민여러분 힘내십시오!!」 「이건 아니라고 봐! 아닌 것은 아닌겨!」 등등 각 곳에서 응원과 반대 목소리를 함께 내주고 있다.

그중 인상 깊은 현수막이 있다. 「분노, 주민은 절규(絕叫)한다. 순천자(順天者)는 흥하고 역천자(逆天者)는 망한다. 민심이 곧 천심(天心)이거늘 주민을 고통으로 몰아넣는 토지주와 공사를 강행하는 악덕업자 음식물쓰레기(비료라 함)를 매립하는 자는 삼재팔난(三災八難)으로 고통을 받을 것이다」 준엄한 메시지에 보는 것만으로도 등골이 서늘해진다. 정말 나쁜 짓을 하면 안 되겠구나 절로 생각이 들었다. 현수막 하나하나가 마을을 지키는 장승 같다. 보는 것만으로도 마음이 든든하다.

그 밖에 자주 보이는 현수막은 코로나 관련과 안전속도 5030 전면 시행 현수막이다. 뉴스로 보는 것보다 현수막으로 보는 것이 안전과 법에 더 와닿는 기분이 든다. 코로나 덕에 긴장을 안고 사는 요즘, 보고 싶은 현수막이 있다. 이 말은 〈유퀴즈〉에서 재난 안전문자를 보내는 행정안전부 주무관이 한 말이다. 「코로나19 감염병 위기 경보가 해제되었습니다. 함께해주신 국민 여러분, 감사합니다.」

그날이 빨리 오길 바란다.

1번지

패널로 지은 공장이 여럿 보인다. 새로 짓고 있는 공장
도 있다. 새삼스럽다. 산과 나무, 밭이 아닌 공장이라
니. 그렇다면 그전엔 뭐가 있었을까. 모르겠다. 어쩌면
내가 기억을 미화하고 있는 게 아닐까. 그전에는 좀더
좋은 게 있었을 거라고. 제대로 기억도 나지 않으면서.

두둑에 점적 호스를 깔고 비닐을 씌우는 중이다. 지금
일하는 밭은 언덕바지라 멀리 동네 풍경이 다 보인다.
당숙 할머니네도 작은할머니네 집도 이 언덕에서 훤히
보인다. 나는 쉬게 되면 언제나 아는 집을 찾았고 괜히
반가웠다.

이 밭에서 농사를 지은 지는 여러 해다. 작년엔 들깨를 심었다. 그전에는 참깨와 콩을 여러 해 심었다. 올해는 고추를 심는다.

아빠가 이곳을 빌려 농사를 지을 때 한 말이 있다. "여기가 1번지다." 그 말에는 뿌듯함이 배어 있었다. 하지만 나는 별 감흥이 없었다. 남의 땅이었다. 그리고 내가 일할 땅이었다. 번지는 그저 숫자였다. 하지만 듣고 나니 왜 이곳이 1번지였을까 잠시 궁금은 했다.

그 답을 알게 된 건 작년 집회 때였다. 당시 우리 동네는 음식물쓰레기 비료회사와 대척을 두고 있었다. 외지인이 도라지를 심는다며 비료를 뿌렸는데 알고 보니 음식물쓰레기 비료였다. 그저 비료였으면 상관이 없었지만 덜 건조된 비료였고 냄새도 고약했다. 동네는 발칵 뒤집혔다. 뉴스에서만 보던 일이었다.

가구별로 당번을 매겨 매일 감시했다. 그래서 나와 동생이 바쁜 아빠 대신 나왔다. 상대에게 느슨함을 보여줄 수 없었다. 지켜보는 것으로 우리의 뜻을 전했다.

49

밖에서 보는 전의(戰意)는 그랬지만 실상은 동네 모임과 비슷했다. 모이면 옛날이야기부터 나왔다. 이장님도 지나가면서 동네 역사 이야기를 많이 해주셨다. 그중 1번지 이야기도 있었다.

오래전, 일본은 조선에 동양척식주식회사를 세우기 전 토지 전수 조사를 했다. 대부분 일본이 측량하는 대로 측량했다. 하지만 우리 동네는 아니었다. 동네 몇몇은 측량을 배웠다. 그리고 대나무로 얇게 만든 줄자를 둘둘 말아 일본 감독이 아닌 자신들이 직접 했다. 그렇게 첫 번째로 측량한 곳이 1번지다. 피를 흘리는 것만이 싸움이 아니다. 그러면서 일본이 마을을 쪼갠 이야기나 마을 지명에 관한 유래를 들었다. 할머니가 해주시는 집안 이야기만 듣다가 동네 역사 이야기도 들으니 신선했다.

그때의 측량을 인정해주었더라면 얼마나 좋았을까. 문제는 그때의 지적과 지금의 지적이 다르다는 것이다. 서로가 약속을 정하고 그은 땅이었지만 나라에서 그은 땅과 달랐다. 이런 문제는 방송에서도 종종 나온다. 지금 1번지도 다른 땅도 마찬가지다. 길도 그렇다. 그래도 우리는 그것을 인정해주었다. 나라의 지적과 다르더라도 서로 양보하고 선을 존중했다. 그 시절을 공유했던 사람들은 그랬다.

하지만 마을은 점점 변하고 있다. 어린 시절, 마냥 신기했던 신작로는 도로로 변했고 버스도 다니기 시작한 지 오래다. 산업단지가 들어서기도 했다. 마을의 선은 점점 나라에서 정한 선과 맞닿고 있다. 아마 내가 마을의 역사를 기억하는 끝 세대일 것이다.

아빠가 관리기 시동을 켰다. 나도 자리에서 일어나 삽을 들었다. 한눈에 보이는 마을을 보며 왜 이곳을 1번지로 삼았는지 알 수 있을 것 같았다. 아마 이곳을 측량하고 다음 측량할 곳을 정했을 것이다. 멀리서 다가오는 아빠를 바라보며 나도 다음을 생각했다.

나의 MBTI

요즘 MBTI가 유행이다. MBTI는 성격 유형 검사로 모두 열여섯 가지가 있는데 나와 둘째 동생이 모델로 삼고 있는 유형은 성향의 네 자리 알파벳 중 끝자리가 J인 유형이다.

J는 판단(Judging)을 뜻하며 분명한 목적과 방향을 선호하고 계획적이고 체계적이며 기한을 엄수한다. 또 깔끔하게 정리정돈을 잘하며 뚜렷한 자기 의사와 기준으로 신속하게 결론을 내린다고 한다. 동생과 나는 카페에 가면 늘 계획을 짠다. 계획 세우기를 좋아한다. 작은 목표든 큰 목표든 이리저리 인터넷을 찾아가면서 촘촘히 계획을 세운다. 하지만 결국 P로 되어버린다.

P는 인식(Perceiving)을 뜻하며 유동적인 목적과 방향을 선호하고 자율적이고 융통성이 있으며 재량에 따라 일정을 변경할 수 있다. 상황에 따라 적응하며 결정을 보류하는 경향을 의미한다. 우리는 카페에 나가는 순간 계획은 까맣게 잊어버린다. 그리고 다시 계획을 짠다.

여행 계획표도 그렇다. 전날 경비며 숙소, 맛집을 시간대별로 몇 날 며칠 고생하며 작성하지만, 정작 여행 다음 날 숙소에서 나갈 때면(첫날은 잘 지키는 편이다) 계획대로 8시가 아니라 10시, 11시인 경우가 태반이다. 계획표는 그저 우리의 만족이다. 이런 우리에게 나름의 웃음 코드가 생겼다. "J는 시간표 보여주는 시간도 시간표에 있대!"

나는 아직 나의 MBTI 유형을 정확히 모른다. 20대에는 스파크형이었다. 찾아보니 재기발랄한 활동가, ENFP라고 한다. 찾아보고도 '말이 돼?' 하고 놀랐다. 내가? 활동가라고? 타고난 집순이인 내가? 스스로 진정시키며 일반적 특징을 읽어보니 절반은 맞고 절반은 다르다. 30대 초반에는 잔다르크형이었다. 열정적인 중재자, INFP라고 한다. 읽어보니 이것도 절반은 맞다. 최근에 다시 해보니 호기심 많은 예술가, 성인군자형 ISFP가 나왔다. 글을 쓰니까 예술가형이 나와서 기분이 좋긴 좋지만, 다음에는 다른 것이 나올까 봐 차마 다시 테스트를 하지 못하겠다. 무엇보다 문항 체크도 귀찮다. 그런데 통합적으로 보면 스파크형이든 잔다르크든 성인군자형이든 교묘하게 겹쳐지는 부분이 많다.

예를 들어 이런 문장. "호기심이 많고, 어떠한 일의 결과보다 '가능성'을 보는 경향이 있으며, 아이디어를 수행하기 위한 촉매 역할을 한다."

INFP를 설명하는 구절 중 하나다. 하지만 얼핏 읽으면 ENFP 같기도 하고 ISFP 같기도 하다.

기억나는 심리실험이 있다. 실험자 다섯 명에게 개인 운세를 풀이한 종이를 주었다. 실험자들은 읽어보니 모두 잘 맞는다고 하였다. 하지만 이들에게 준 운세는 모두 같은 내용이었다.

스몰토크에서 MBTI는 좋은 주제다. 혈액형 네 가지보다 훨씬 다양한 이야기를 나눌 수 있다. 일본 학자가 만든 이야기보다 훨씬 전문성을 띤 느낌이 든다. 하지만 그 뿌리에 들어가면 MBTI는 심리학을 전공하지 않은 모녀(캐서린 브릭스와 딸 이사벨 마이어스)가 만들었다. 이 지표는 제2차세계대전 발발로 인해 개발되었는데, 징병제로 인해 발생한 인력 부족으로 남성 노동자가 지배적이던 산업계에 여성이 진출하게 되면서, 자신의 성격 유형을 구별하여 각자 적합한 직무를 찾도록 할 목적으로 만들었다. 한국에서도 진로를 목적으로 학생들이 많이 검사하면서 익숙해지기 시작했다. 취업 진로 상담할 때도 MBTI를 한다.

나라에서도 이 지표를 활용하니까 전문성이 더 느껴지지만, 정말 과학적인 걸까. 과학을 떠나서 문항의 개수와 점수로 개인을 정의할 수 있을까. 개인은 무수한 사건과 선택, 시간이 쌓여 자신을 만든다. 포괄적인 데이터로는 개인을 재단하기 어려울 것이다. 웃자고 하는 이야기에는 그저 웃으면 된다. 하지만 점점 웃자고 하는 이야기에 진심인 경우가 많다.

며칠 전에 흥미로운 기사를 보았다. MBTI 성격 유형에 따라 지원자를 받지 않는다는 회사가 있다는 것이다. 애초에 MBTI는 단점을 말하고자 하는 것이 아닌데 회사 기호에 맞는 MBTI라니. 개인의 개성까지 검열하는 시대가 오는 것 같아 걱정이다.

5월 계획은 기억나지 않지만 6월이 되었고 나는 또 계획을 세운다. 이번에는 계획표를 보여주는 시간까지 계획에 넣어야겠다.

조카와 보내는 시간

누워서 '산이'를 바라본다. 산이는 생후 9개월 된 조카다. 산이는 소파에 올라가기 위해 아등바등 부지런히 발을 움직인다. 용을 쓰는 뒷모습이 귀엽다. 순간 산이 뒤로 넘어졌다. 다행히 바닥에는 도톰한 매트를 깔았다. 산이는 입을 내밀며 울어야 할지 말아야 할지 머뭇거리며 나를 보았다. 예전의 나였으면 호들갑스럽게 아이부터 안으며 괜찮냐 물었을 것이다. 아이는 자신의 아픔보다 상대의 표정을 보고 더 놀랄 때가 있다. 나는 조용히 미소 지으며 산이를 본다.

동생 부부의 외출로 혼자서 산이를 보는 중이다. 설상가상으로 부모님도 점심 약속이 있어 집에 없다. 나를 믿지 못하는 동생은 여러 가지 당부했다. 몇 시에 분유를 주고 몇 시에 이유식을 먹이고 기저귀는 어떤 걸로 갈아야 하며 낮잠은 몇 시에 재워야 하는지 등등. 산이를 돌보는 건 처음이 아니다. 다만 엄마처럼 능숙하지 못할 뿐이다.

나는 산이를 안으며 조용히 괜찮다 말했다. 아픈 거 아니야. 이제 막 9개월이 된 산이 내 말을 이해할 수 있을지 모르겠지만 나는 안 아프다 안 아프다 주문을 걸듯 산이 머리를 만졌다. 내 품에서 꼼지락거리던 산이는 다시 소파로 갔다. 요즘 산이 꽂힌 놀이는 소파 올라가기다. 그 모습을 보면 어린 시절이 생각난다. 나와 동생은 정상 놀이를 좋아했다. 우리는 집 안의 서랍장 서랍을 다 열어 계단 삼아 위에 올라갔다. 옷장 위에도 올라갔다. 마치 그곳이 세계의 정상인 것처럼 신이 났다. 그래서 집 안의 가구들은 항상 망가졌다.

산이는 항상 부지런히 움직인다. 잠을 잘 때도 이리 뒹굴 저리 뒹굴 사방을 돌면서 잔다. 활발하게 움직이는 건 좋지만 움직임이 많을수록 다치는 일도 많아졌다.

주로 머리를 많이 다친다. 아이 신체 중 머리가 가장 무겁다 보니 머리부터 넘어진다. 처음 산이를 안았을 때가 기억난다. 머리 조심해.

산이는 다시 소파를 잡고 위로 올라가려 애를 쓴다. 힘을 준 손끝이 작고 하얗다. 깨금발도 앙증맞다. 아까의 아픔은 잊은 걸까. 산이의 최종 목표는 소파에 올라가 거울 속 자기 모습을 바라보는 것이다. 산이는 거울 보는 것을 좋아한다. 아기는 생각지 못한 곳에서 자신의 즐거움을 발견한다. 기특하고 신기하다.

나는 다시 누웠다. 나는 산이보다 머리가 무겁다. 생각이 많다. 걱정이 많다. 열심히 애를 쓰는 도톰한 산이 발을 만졌다. 축축하다. 축축한 발이 안쓰럽다. 나는 그냥 소파에 올려줄까 했지만 즐거움을 뺏고 싶지 않다.

찬찬히 내 머릿속을 둘러본다. 어디서부터 치워야 할까. 정리가 안 된 내 방 같다. 인터넷에서 방을 치우는 법을 읽은 적이 있다. 방을 나올 때 컵 하나라도 갖고 나오기 등 가벼운 것부터 치우기. 한꺼번에 치우는 것보다 매일 조금씩 가벼운 것부터 치우라 했다. 이론은 쉽다.

글쓰기도 마찬가지다. 가장 쉬운 것부터 하라고 조언한다. 컴퓨터 전원 켜기 같은. 게임이 컴퓨터에서 스마트폰으로 옮겨가면서 컴퓨터를 자주 켜지 않게 되었다. 그때도 게임만 했지 정작 한글 프로그램은 잘 열지 않았다. 글을 쓰지 못한다는 자괴감에 금세 부정적인 생각에 빠졌다. 방을 치울 때 절대 하지 말아야 할 것. 추억에 잠기지 말기. 머릿속 정리도 마찬가지일 것이다.

많은 것들이 머릿속에 쌓여 있다. 그것들을 떠올리니 다시 머리가 무거워진다. 당장 해야 할 목록 같은 건 몇 번이고 적어보았다. 결심은 그때뿐이다. 지금 내가 유일하게 할 수 있는 것은 그저 눕는 것이다. 무거운 머리를 눕히는 것. 누워 있어도 장아찌 돌에 눌린 기분이다.

산이 내 손등을 밟고 올라가려 애를 쓴다. 언제부터인가 산은 자신 옆에 있는 사람 몸을 이용해서 소파에 올라거나 침대에 올라간다. 슬쩍 손을 받쳐준다. 산이의 무게가 느껴졌다. 9개월 삶의 무게. 가벼우면서도 묵직하다. 산이의 배가 소파 끝에 매달리면서 허공에 다리가 흔들린다. 팔딱팔딱 싱싱한 생선 같다. 배에 힘이 빠지면 굴러떨어질지 모른다. 넘어질까 조마조마하다. 아직 말이 트지 않은 산이는 병아리가 비명 지르듯 악착같이 배에 힘을 주며 소파에 매달렸다. 살아온 인생중 가장 큰 도전일 것이다. 나도 모르게 응원한다. 높은 절벽을 오르는 클라이밍 선수를 지켜보는 기분이다. 겨우 내 무릎 높이 소파인데도 그 높이가 아득하게 느껴진다. 한참 버둥거리다 올라간 산이는 다리를 바짝 오므리고 엉덩이를 세웠다. 작고 통통한 엉덩이. 미소가 절로 나온다. 잠시 숨을 고르던 산이 옆으로 누워 앉는다. 그리고 소파 등받이를 잡고 거울이 있는 쪽으로 한 걸음 한 걸음 걸어갔다.

가만히 누워 있는 나보다 낫다. 머리가 무거워 누워 있는 나. 무거운 머리를 세우고 앞으로 나아가는 산이.

산이는 자신의 작은 승리를 자축하듯 돌고래 웃음소리를 냈다. 너무 신이 나도 걱정이다. 예전에 신나서 소리를 지르다 갑자기 소파에서 구른 적이 있다. 혹시나 하는 마음에 나는 소파에 올라가 산이 등을 받쳐주었다.

거울 속 산이를 보았다. 산이도 거울 속 나를 보고 있었다. 우리는 같은 시선에서 서로를 바라보았다. 아이의 마음이 내 안에 스민다. 산이 다시 소리 내어 웃었다. 고민이 없는 소리. 희망이 반짝이는 소리. 그 웃음소리에 묵직했던 마음이 조금은 편안해졌다. 가벼워졌다. 거울 속 산이 웃는다. 나도 웃고 있다.

복토

고추모를 잡고 북삽으로 흙을 푸는데 쨍 소리가 났다. 딴생각을 하며 복토를 하다가 화들짝 놀랐다. 돌이었다. 흙살이 좋아서 북삽으로 잘 퍼졌던 터라 돌을 찍을 줄 몰랐다. 손바닥보다 큰 돌은 두 조각으로 박살이 났다. 조각난 돌을 치우고 다시 고추모를 잡은 뒤 북삽으로 흙을 덮었다.

올해는 고추를 석 단만 했다. 작년에는 일곱 단. 그래서인지 올해는 한 손으로도 할 수 있을 것 같은 기분이지만, 밭이 줄어든 만큼 일꾼을 구하지 않고 동네 친척들끼리 일을 해서 결국 일하는 양은 작년과 다름없다.

고추를 심을 때 내 일은 주로 고추모를 꽂는 것이다. 다들 나이도 있고 허리가 좋지 않아 아빠가 물이 나오는 소독기로 구멍을 뚫으면 나는 그 안에 모를 꽂는다. 계속 허리를 굽히며 모를 꽂으면 나중엔 모에 힘을 주어 삐뚤게 심길 때도 있다. 삐뚤게 심으면 삐뚤게 자란다. 조금만 삐뚤게 심어도 옆으로 자라나게 되면 금방 땅에 닿아 병도 쉽게 온다. 첫 단추부터 잘 끼워야 한다.

물론 삐뚤게 꽂았다고 당숙 할머니나 엄마가 삐뚤게 심는 일은 거의 없다. 하지만 그렇게 되면 손이 두 번 가게 되므로 될수록 처음부터 잘 꽂는 게 좋다. 무엇보다 잔소리를 듣는 것이 싫어 신경을 쓰며 모를 꽂지만 허리가 아프면 허벅지나 모에 힘을 기대게 된다. 어쩔 수 없다.

다행히 아빠와 거리가 멀어지면 엄마나 할머니가 모를 꽂아준다. 그동안 나는 허리를 편다. 그래도 점심 먹기 전에 다 할 수 있을 것 같다. 모는 다 꽂았고 이제 복토만 하면 된다. 아빠와 삼촌들은 말뚝을 나르고 박는다. 아빠도 일이 편해졌다. 전에는 아빠 혼자서 말뚝을 박앉는데 이제는 삼촌들이 고추 심는 날 말뚝을 나르고 꽂고 박아주기까지 한다. 해마다 친척들에게 감사하고 감사하다.

동네 아주머니들도 오셨다. 요즘엔 아주머니 일손도 귀하다. 용역을 쓰면 되지만 값도 비싸고 일도 야물지 못하다. 그들이야 시골에 와서 많은 일을 해보았지만 자기 일처럼 하지 않는다. 모가 삐뚤게 있으면 삐뚤게 심고 북삽에 잡히는 대로 흙을 덮는다. 오히려 기계적으로 일하는 것이 덜 힘든 일인지도 모르겠다.

오늘 심는 밭은 흙살이 좋지만 중간중간 큰 돌들이 있다. 돌이 많은 밭은 복토하기가 힘들다. 대신 물이 잘 빠진다. 돌이 있으면 있는 대로 없으면 없는 대로 저마다 장점이 있지만 그래도 복토를 돌로 할 수 없으니 이왕이면 흙살이 많은 게 좋다.

그래도 이 밭은 예전에 심은 고추밭에 비해 양반이다. 전에 심었던 고추밭은 오래전 할아버지가 과수원을 했던 밭으로 돌이 많았다. 매년 돌을 주워도 돌은 계속 나왔다. 큰 돌이 아니라 주먹만 한 돌이었다. 밭일 자체가 골고루 힘드니 안 힘든 게 없지만 나는 돌 줍는 게 제일 싫다. 돌을 줍기 위해 허리를 굽히는 것도, 끝이 없어 보이는 밭의 돌을 줍는 것도 지겹다. 한편으로는 기가 찼다. 이렇게 몇십 년을 주워도 돌은 왜 계속 나오는 걸까. 정말 돌이 새끼를 치는 게 아닐까? 그때 내 마음은 주운 돌보다 더 단단했다. 그리고 점점 커져 갔다.

그때 나는 20대였다. 그리고 아무것도 아니었다. 아무것도 아닌 나는 이렇게 돌이나 줍다가 끝나는 게 아닐까. 세상은 빠르게 돌아가고 앞서나가는데 나는 구석기 시대처럼 돌을 줍는다. 하지만 나는 집을 나갈 용기도 꿈을 포기할 용기도 없었다. 그렇게 내 마음은 단단한 돌이 되었다.

이제 그 밭은 주인이 바뀌면서 우리가 경작하지 않게 되었다. 그 밭에는 소나무들이 심겨 있다. 밭주인이 조경회사 사장이다. 그곳을 지날 때마다 생각한다. 돌은 계속 새끼를 치고 있을까.

북삽에 또 돌이 찍혔다. 이 밭은 여러 해 동안 들깨와 참깨를 심었다. 그래서 복토를 하지 않았는데 북삽을 잡고 흙을 뜨니 잡히는 돌이 많았다. 흙살은 참 좋은데 보기와 다르다. 이 돌이 흙살 좋은 흙으로 될 때까지 얼마나 걸렸을까. 그런데도 아직 부서지지 않고 돌이 있다. 그것도 제각기 모양과 크기가 다르다. 같은 밭에서 흙이 있고 돌도 있다. 한마음에서도 여러 마음이 있는 것과 같다.

흙을 뜨며 예전의 모습을 상상해본다. 모래였을 흙, 자갈이었을 모래, 돌이었을 자갈, 바위였을 돌. 바위가 부서져 돌이 되고 다시 부서져 자갈, 다시 부서져 모래, 다시 부서져 흙이 되었다. 그렇게 된 흙을 푼다. 고추모가 흔들리지 않게 흙을 덮는다.

모종에 흙을 덮는 것을 복토(覆土)라고 한다. 복(覆)은 의미에 따라 쓰임에 따라 달라지는데 사전을 찾아보니 '뒤집히다'로 쓰일 때는 복으로, '덮는다'로 쓰일 때는 부로 말한다. 그런데 흙을 덮을 때는 부토가 아니라 복토다. 어쩐지 복이라고 말함으로써 고추모에 복을 붓는 느낌이다. 그러한 마음 때문에 복이라고 부르지 않았을까.

바위는 처음부터 쉽게 부서지진 않았을 것이다. 아주 길고 긴 시간의 힘이 바위를 흙으로 만들었다. 나에게도 시간이 필요하다. 언젠가 단단한 내 마음의 바위도 돌이 되고 자갈이 될 것이다. 그 자갈은 모래가 되고 모래는 흙이 되어 내 마음이 흔들릴 때마다 나를 잡아주는 복토가 되길 바라며 고추모를 잡고 흙을 덮는다.

잘 세워진 고추모가 바람에 살랑거린다.

여름

버섯과 곰팡이

뜨거운 태양이 한소끔 꺼진 저녁, 나는 고양이들을 찾기 위해 표고버섯 차광막사에 들어왔다. 표고버섯 차광막사는 그늘지고 시원해서 고양이들의 좋은 쉼터다.

고양이를 좋아하는 나는 들고양이들에게 밥을 주고 있다. 그렇게 밥으로 꼬신 몇몇 고양이들은 우리집에 정착했는데 요즘은 고양이들과 보내는 시간이 별로 없다. 고추 따는 시기여서 온종일 고추를 딴다. 일꾼을 두고 따면 하루 만에 따겠지만 그렇게 하면 인건비도 못 건지기 때문에 엄마와 단둘이 딴다. 첫 고추는 생고추로 팔 거라 점심 먹고 바로 골라 상자에 담아야 한다. 상자에 넣은 고추를 오후 5시 전에 유통센터에 보내고 다시 고추를 땄다. 아직 해가 있으므로 쉴 수가 없다. 7시가 넘어서야 조금 여유가 생긴다. 내 유일한 낙은 저녁 시간에 고양이들과 노는 것이다.

나는 대학을 졸업하고 농사를 짓는 부모님을 도와드리고 있다. 사실 특별한 직업이 없기 때문에 부모님 농사를 돕고 있는 것이다. 자의라면 기특한 일이겠지만 타의나 마찬가지기 때문에 언제나 마음이 무겁다. 처음에는 글을 쓰기 위해, 라는 그럴듯한 명분이 있었지만 이제는 그 명분을 나 스스로 잊은 지 오래다. 글을 제대로 써본 적이 언제였던가, 이제 기억도 가물가물하다.

어두컴컴한 암실 같은 막사에 눅눅한 곰팡이 냄새가 내 코끝에 닿았다. 그 냄새가 조용히 부패되고 있는 내 인생 같아 우울해진다. 고양이도 보이지 않고 집에 들어가 씻기도 귀찮다. 계속 이렇게 살까 두렵다. 어떻게 해야 하는 걸까. 모든 걱정이 도미노처럼 넘어진다. 막사 안 참나무처럼 내 인생도 이렇게 어둡고 축축하게 썩어갈 것이다. 빛도 보지 못한 채 출구도 없이 희망도 없이 늙어가는 내 모습이 스쳐 지나간다. 고양이들을 부르려고 했지만 목이 멘다. 더 크게 부르고 싶지만 가슴의 뜨거운 돌덩이가 내 목구멍을 막는다. 내가 할 수 있는 거라곤 코를 훌쩍이는 일밖에 없다.

한참을 그러고 있다 일어났다. 언제까지 주저앉는다고 해결될 문제도 아니다. 자리에서 일어나보니 보지 못했던 표고버섯이 보였다. 그동안 바빠 물도 제대로 주지 못했는데 봄에 미처 따지 못한 버섯인가. 아기 주먹만 한 버섯이 참나무 밑동에서 안녕 인사한다. 평소라면 그냥 지나쳤을 법한데 오늘따라 반갑다.

버섯은 신기하다. 썩어버린 나무에서 자리를 잡고 자란다. 부패되고 썩은 것을 양분 삼아 자신을 피운다. 기특하다. 그동안 나 자신은 부패하고 썩어서 더 이상 어떻게 할 도리가 없는 존재라 생각했다. 하지만 그런 곳에서 버섯은 자란다. 곰팡이가 되지 않고 썩은 것을 삭히고 품어 자란다. 어쩌면 나는 삭히는 시간이 부족했는지 모른다. 버섯이 되자, 지금 이 기분을 양분 삼아 앞으로 나아가자. 그렇게 생각하자 마음에서 힘이 났다.

언제 왔는지 옆에서 수다쟁이 고양이가, 냥, 하고 나를
부른다.

봄밤

반짝이는 팔찌 하나

외출하려고 나서는데 하늘색 크리스털 팔찌가 내 눈을 끌었다. 책장에 놓인 팔찌는 부처님 오신 날, 절에서 받은 것이다. 그때는 이 팔찌를 갖지 못하면 평생 후회할 것 같았는데 지금은 아무 감흥도 없다. 차고 나갈까 잠시 고민했지만 평소 액세서리를 좋아하는 것도 아니라 결국 팔찌는 오늘도 방치다.

우리 가족은 불교를 믿지만 부처님 오신 날이나 동지 정도에만 절에 간다. 올해도 부처님 오신 날이 돼서야 절에 갔다. 도착하자마자 부처님께 필요할 때만 부처님을 찾아 죄송합니다, 용서를 구하며 절을 했다. 하지만 반성도 잠시, 마음을 내려놓지 못한 나는 금세 부처님도 감당할 수 없는 소원들을 잔뜩 빌었다.

부처님 오신 날 의식으로 경전과 진언을 읽고 절을 몇 번 한 뒤, 마지막으로 아기 부처님을 씻겨드리는 관불 의식을 한다. 그리고 절에서 준비한 선물을 신도에게 나누어 주는데 주로 염주다. 덕분에 집에는 항상 염주 가 넘쳐 별로 기대하지 않았는데 올해는 크리스털 팔 찌였다. 색도 다양했다. 내가 받은 색은 여러 가지 색 이 섞인 크리스털 팔찌였다. 사실 받는 것만으로도 감 사해야 했지만 다른 팔찌들에 비해 조금 촌스러워 차 라리 염주가 나았다.

하지만 이미 받은 선물, 어쩔 수 없다 체념하는데 건너 편에서 하늘색이 반짝거렸다. 무언가 유심히 보니 하 늘색 크리스털 팔찌였다. 저렇게 예쁜 하늘색이 있다 니 나도 모르게 넋을 빼고 하늘색 팔찌를 바라보았다. 반짝반짝 빛나는 하늘색 팔찌를 보면 볼수록 점점 나 에게 저 팔찌가 아닌 알록달록 찰옥수수 같은 팔찌를 준 신도가 괜히 미워졌다.

절에서 마련해준 식사를 하면서도 온통 하늘색 팔찌 생각뿐이었다. 그런데 주변을 보니 팔목에 팔찌를 하나가 아니라 두 개, 세 개씩 차고 계신 분들이 많았다. 나는 겨우 하나 받았는데 울컥 욕심이 솟았다. 그게 뭐라고 이렇게 욕심이 나는지 알 수 없다. 평소 팔찌나 반지, 목걸이에 관심도 없는데 그 하늘색 팔찌는 매일 차고 다닐 수 있을 것 같았다. 잊고 있던 신심(信心)도 생길 것 같았다.

그렇다고 내 욕심을 채우자고 달라는 게 죄스러워 마음을 접으려 했는데 다시 하늘색이 반짝거렸다. 아까 하늘색 팔찌를 받은 신도가 식사하는데 그분 손목의 팔찌가 유난히 반짝이며 눈부시게 빛났다. 햇빛은 오로지 그 팔찌만 비추는 것 같았다.

맛있는 반찬을 두고 입에 받지 않았다. 평소라면 몇 그릇을 먹었을 텐데 팔찌 생각에 아무것도 내키지 않았다. 조금 전까지 아기 부처님을 씻겨드리며 내 마음도 씻겨내겠다고 다짐했는데 스스로 구정물로 들어간다.

나는 아기 부처님을 되새기며 마음을 다잡으려고 했지만 이대로 말도 못 하고 집에 돌아가면 병이라도 생길 것 같았다. 말도 못 꺼내보고 병을 얻으니 퇴짜를 맞더라도 스님께 말이라도 한번 해봐야 한이 안 생길 것 같아 스님께 물었다. "스님 혹시 팔찌 남은 거 있나요?"

불당 안을 정리하시던 스님은 웃으시며 상자 하나를 꺼내셨다. 그리고 작년에 남은 염주도 꺼내시며 이것도 줄까 물어보았다. 나는 그토록 갖고 싶던 하늘색 크리스털 팔찌를 손을 쥐며 이 팔찌 하나면 된다고 했다.

나는 책장에 파란색 크리스털 팔찌를 올려놓으며 외출할 땐 항상 부적처럼 몸에 지녀야지 생각했지만 한 번도 차지 않았다. 그사이 계절은 여러 번 바뀌었다. 세상을 가졌던 것 같은 기쁨은 지나간 계절처럼 금세 사라졌다. 하늘을 보니 집에 두고 온 팔찌가 생각났다. 마음이 무겁다. 욕심의 무게다. 어쩌면 지옥은 죽어서가 아니라 사는 동안 느끼는 죄책감이 아닐까. 이 욕심을 마음에 새기며 반성해야겠다. 하늘은 크리스털 팔찌처럼 반짝거린다.

※

라디오를 듣다

요즘 나는 라디오 아가씨가 되었다. 둘째 동생이 "라디오 아가씨!" 부르면 나는 스마트폰 라디오 앱을 켠다. 적막한 농사일에 라디오는 재미있는 친구다. 예전에는 작은 라디오를 들고 다녔는데 산이 깊은 곳이면 전파가 잘 잡히지 않아 스마트폰 라디오를 듣는다. 라디오를 듣고 나서 나의 흥얼거림도 달라졌다. "상태상태 확 깬 상태!"라든가, "조강지처가 좋더라~!"라든가, "지친 나를 달래주는 ○○○ 안마 의자~!" 등. 예전에는 라디오 광고가 싫어 음악만 듣던 시절도 있었는데 이제 흥에도 자본주의가 묻었다.

라디오를 듣다 보면 나도 사연에 참여하고 싶어진다.

라디오가 시작될 때 디제이가 주제나 퀴즈, 혹은 사연에 대한 감상을 인터넷이나 문자로 보내라고 하는데, 나 같은 경우는 항상 장갑을 끼고 일하기 때문에 사연을 보내는 게 번거롭다. 사연을 보낸다고 해도 100% 소개되는 것도 아니어서 보내고 싶은 마음이 간질간질하지만 꾹 참는다. 그래도 치세쿠(치킨세트쿠폰)를 마구 날릴 때면 혹시나 하는 마음에 장갑을 벗고 문자를 후다닥 보내보지만 역시나, 꽝.

실망도 잠시, 디제이가 읽어주는 사연에 나도 모르게 웃음이 새어 나온다. 좋아서 밭에 나와 일하는 게 아니다. 시키니까 한다. 그래서 아침부터 나와 일할 때면 신경이 예민해져 동생이 말을 시켜도 대꾸도 하지 않는다. 마음에 응어리 하나 만들고 억지로 일하는 동안 라디오는 내 마음과 상관없이 자신의 이야기를 한다. 어느새 손이 바빠지는 동안 나의 귀는 점점 라디오로 향한다.

오늘은 고추밭에서 줄을 매는데 마음에 꽂히는 사연을 들었다. 어느 중년 가장 사연에 또래 여성분이 보낸 답

장이다. 여자분은 자신의 이야기와 함께 중년 가장에게 여러 조언을 하시며 마지막에 "끙끙 앓다가 죽느니 한 번 해보세요."라는 말을 덧붙였다. 그 말이 부싯돌처럼 내 가슴에 꽝 부딪히면서 반짝 빛났다. 그동안 생각에만 묻어놓고 표현하지 못했던 나의 행동들이 떠올랐다. 특히 가족에게 더욱 그랬다. 그래놓고 무턱대고 억울해하고 서운해했다. 서늘했던 내 마음에 훈기가 돈다.

일이 고단해지면서 책과도 멀어졌다. 대신 침대에 누워 유튜브를 자주 본다. 손가락으로 톡 하고 누르면 내 초점은 스마트폰 작은 세상으로 가득 찬다. 터치 하나에 관심 영상도 쉽게 바뀐다. 유튜브 메인은 내가 자주 보는 영상의 알고리즘이다. 그래서 내 취향의 영상만 나오고 내 관심사로만 이루어진다. 영상을 볼수록 나는 내 안으로 파고든다.

나는 한 달 전 라디오를 통해서 처음으로 BTS의 〈다이너마이트〉를 들었다. 뉴스를 통해서만 BTS를 접했다. 뉴스에 나오니까 유명하구나 생각했는데 라디오에서 들으니 신선했다. 처음에는 외국 가수의 노래인 줄 알았다.

내가 주로 듣는 음악은 90년대나 2000년대 가요다. 윤상, 토이, 이브 등. 나는 아직도 아이유가 신인가수 같은데 데뷔한 지 10년이 넘었다고 한다. 내 세상에 갇혀 있는 동안 세월 가는지도 몰랐다. 라디오는 듣기만 하는데도 세상이 보인다. 지금의 시간을 알려주고 지금의 사건을 말해준다.

퀸의 〈라디오 가가〉가 떠올랐다. 1980년대 만들어진 이 노래는 당시 MTV 채널만 보는 10대들을 보며 로저 테일러가 영감을 받아 만들었다고 한다. 이 노래는 당시 사람들의 향수를 자극했다.

사람들은 여전히 유행에 민감하고 최신을 좋아한다. 하지만 그 시절, 사람들이 라디오를 사랑했던 이유처럼 지금도 사람들은 우리 사는 이야기를 듣고 싶어 한다. 그리고 한 프로그램이, 디제이가 그 자리에 묵묵히 있는 것만으로도 큰 위로가 되어준다. 그래서 청취자들은 오래된 라디오 프로그램과 디제이를 우리 이웃처럼 생각하고 사랑한다.

내일은 라디오에서 어떤 사연과 노래가 나올지 궁금
하다. 그러면 나는 또 얼마나 웃고 위로받을지, 라디오
덕분에 설레는 요즘이다. 좋아하는 노래가 때마침 나
온다. 나는 그 노래에 맞추어 기분 좋게 고추 줄을 잡아
당긴다.

책장 파먹기

나는 책에 관해서는 소장파다. 사고 본다. 좋아하는 작가니까, 추천받아서, 고전이니까 한 번쯤 읽어야 하지 않을까? 저렴하게 나와서, 사은품이 너무 예뻐서, 절판본이라서 등등 사야 할 이유는 넘치고 넘친다. 문제는 다음이다. 사고 나면 언제든지 읽을 수 있다는 마음에 우선 꽂아둔다. 그러고는 잊어버린다. 그렇게 산 책들이 책장을 채우고 방바닥까지 쌓였다. 나는 좋아하는 작가의 신간이 아닌 이상은 대부분 중고책으로 산다. 중고책이다 보니 상대적으로 저렴해서, 특히 2만 원 이상 무료 배송 문구를 보면 2만 원을 채워야 이득이라는 착각에 이것저것 생각도 않고 장바구니에 담는다. 그래서 종종 같은 책이 두 권 있는 일도 있다. 물론 읽지 않았다. 순간 자괴감에 빠진다.

가끔 책장을 바라보면 밀린 숙제 같다. 어떤 책장 한 칸
엔 내가 읽는 책이 한 권도 없는 일도 있다. 다짐한다.
집에 있는 책들을 다 읽을 때까지 절대로 책을 사지 않
으리라. 하지만 중고 알람 등록했던 절판본 알람이 온
다든가, 좋아하는 작가의 신간 알람이 뜨면 나의 결심
은 쉽게 무너진다.

얼마 전 〈거미여인의 키스〉를 완독했다. 굉장히 오래
전에 산 책으로 몇 달 전까지 나는 이 책이 내 책장에
있는지도 몰랐다. 기억을 더듬어보니 작가 지망생이라
면 한 번쯤 읽어야 할 책이지 않을까, 하는 가벼운 마음
으로 샀던 것 같다. 사고 나서 몇 번은 시도한 것 같지
만 결국 잊었다. 그래서 독서 모임에서 이 책이 선정되
었을 때 반가웠다. 오래된 숙제를 해결한 기분이 들었
다. 역시나 처음은 읽어나가기 힘들었지만 중후반부터
는 쉽게 넘어갔다. 다 읽고 나서는 평범한 진리의 전율
을 느꼈다. 행복의 파랑새는 집에 있었다!

〈거미여인의 키스〉는 부에노스아이레스의 교도소 안에서 정치범 발렌틴과 미성년 성추행범으로 붙잡혀온 트랜스젠더 몰리나의 대화로 이루어진 소설이다. 어떠한 이유로 몰리나는 발렌틴에게 자신이 본 영화를 세에라자드처럼 들려준다. 그때마다 발렌틴의 반응도 재미있는데 몰리나가 낭만적이고 아름다운 장면을 설명하면 발렌틴은 마르크스적인 해석을 내놓는다. 읽는 내내 둘의 티키타카도 흥미롭지만 기존 소설의 틀이 아닌 색다른 구성이 신선했다. 상호텍스트라는 관점도 독특했고 몰리나의 사유방식 서술도 인상 깊다. 좋은 소설을 읽으면 몸에 맞는 보약처럼 마음에 딱 스며든다. 새로운 세계의 문을 여는 기분도 들었다. 이런 책이 내 책장에 몇 년 동안 묵혀 있었다니, 너무 아까운 짓을 했다.

오랜만에 읽은 〈데미안〉도 그랬다. 처음에는 '아브락사스'라는 단어에 꽂혀 그냥 읽었다. 오히려 아브락사스가 나오는 구절을 읽고 책에 흥미를 잃었던 기억이 난다. 지금 나에게 아브락사스는 그저 하나의 비유에 불과하다. 마치 〈백년 동안의 고독〉의 돼지 꼬리처럼 그

것이 전부가 아니다. 〈도착의 론도〉도 오랜만에 다시 읽어도 역시 재밌었다. 이 소설은 추리소설로 구매한 지 오래됐다. 지인과 주고받은 책을 찾다 눈에 들어왔다. 별생각 없이 꺼내 읽었는데 결국 자리 깔고 누워 다 읽었다. 주인공이 작가 지망생이라 더 공감이 갔다.

냉장고 파먹기가 생각났다. 소비도 줄이고 쓰레기도 줄이자는 취지로 한때 예능이나 정보 프로그램에 자주 나왔다. 나에게도 책장 파먹기가 필요하다. 아무리 훌륭한 이야기라도 내 안에 스미지 않으면 폐지에 불과하다. 이 많은 이야기를 어떻게 요리하며 맛있게 읽어야 할지 생각하니 설레었다.

하지만 이 결심 후, 내가 산 책은 가브리엘 가르시아 마르케스 작가의 〈콜레라 시대의 사랑 1, 2〉(도서관에서 1권을 빌리고 너무 재미있어서), 이슬아·남궁인 공저인 서간 에세이 〈우리 사이엔 오해가 있다〉(사은품 별책부록이 초판 한정이라), 박수연 작가의 〈통영〉(눈여겨보는 작가), 이연실 작가의 〈에세이 만드는 법〉(느슨했던 마음을 다잡고자) 그리고 불교 경전인 〈유미힐 소설경〉(무료 배송을 위해 구매)이다.

다시 한번, 책장을 파먹어보자 다짐한다. 행복의 파랑새는 분명 집에 있다. 분명.

엄마의 맛

엄마의 맛이 조금 달라졌다. 맛이 없는 건 아니다. 어쩔 땐 더 맛있다. 하지만 엄마 맛이 아니다. 오늘 저녁은 묵은지 닭볶음탕이다. 평소와 비슷하지만 미묘하게 맛이 달랐다. 요즘 엄마는 요리할 때면 항상 유튜브를 찾아본다. 엄마가 즐겨보는 유튜브는 '후다닥 요리'. 덕분에 평소 먹던 멸치볶음이나 고구마줄기김치도 예전과 조금 달라졌다. 이외에도 즐겨 보는 요리법이 있다. TV프로그램 〈알토란〉과 방송에서 나온 백종원 요리. 이제 모든 주부의 맛은 〈알토란〉과 백종원의 맛이 아닐까 싶다. 조금 특이하다 싶으면 〈알토란〉 비법이고 음식점에서 먹어본 맛이다 싶으면 백종원 요리다. 우리는 엄마가 유튜브를 보며 요리 준비를 할 때면

"원래 엄마가 하는 대로 해." 말하지만 엄마는 답안지를 보며 문제를 푸는 아이처럼 유튜브를 본다.

엄마 맛을 먹고 자란 나는 모든 맛의 기준이 엄마다. 맛집에서 음식을 먹을 때면 엄마 맛과 비슷하면 맛있다, 생각한다. 한번은 엄마와 같이 유명하다던 서울 남대문 갈치조림집을 갔는데 내 기준엔 엄마가 한 갈치조림이 더 맛있었다.

나는 맛집에 대한 환상이 없다. 줄 서서 먹는 것도 이해하지 못한다. 줄 서서 먹어봤자 엄마가 한 것보다 조금 더 맛있거나 엄마가 한 맛과 비슷하다. 그것도 몇 군데일 뿐, 대부분 엄마 맛보다 못하다. 그중 내가 제일 사 먹는 게 아깝다고 생각하는 건 닭볶음탕이랑 감자탕이다. 칼국수도 도토리묵밥도 엄마가 한 게 맛있다. 더 맛있는 걸 떠올리면 끝이 없다. 그래서 밖에서 사 먹는 건 집에서 해 먹지 않는 햄버거나 피자, 치킨이다. 혹은 족발. 수육은 엄마가 한 게 더 맛있다. 엄마 음식 앞에선 난 늘 주책이고 완고하다.

요리하기 전에 영상을 보는 엄마. 어쩌면 그것은 엄마의 즐거움인지도 모르겠다. 밥은 주식이지만 그저 배만 채우는 게 아니다. 지금 같은 농번기 저녁은 힘들었던 우리 가족의 포상이다. 가벼운 반찬으로는 허기를 채울 수 없다. 평소에는 평범한 꽈리고추볶음이었다면 요즘은 삼겹살을 넣은 중화풍의 삼겹살꽈리고추볶음이다. 경상도식 소고기뭇국도 잘 안 먹던 국이지만 요즘은 기력 보충을 위해 종종 식탁에 올라온다. 아무래도 힘을 많이 쓰니까 저녁은 주로 고기다.

엄마는 요리로 자신의 삶을 조금씩 변주를 하는 것이었다. 그것도 우리 가족의 입을 즐겁게 하기 위해서. 어쩌면 변하지 않고 정체된 삶을 사는 건 내가 아닐까. 요즘 힘들다는 핑계로 매일 뭐든 미루고 있다. 가끔 설거지도 하기 싫어 도망간다. 그리고 이불 속에 모로 눕는다. 잠이라도 자면 아침에 피곤하지 않을 텐데, 그것도 아니다. 가만히 누워 유튜브나 게임을 한다. 이상하게도 그러면 충전이 되어야 하는데 나는 고장 난 배터리처럼 늘 누워 있어도 방전이다. 아마 각오가 모여지는 게 아니라 흘러나가기 때문인지도 모른다. 나에게도 조금은 변주가 필요하다.

내가 요즘 빠진 건 다이어리 꾸미기다. 일명 '다꾸'. 우연히 3공 다이어리를 알게 되었다. 나는 문구류에 관심이 많아서 노트나 스티커, 볼펜이 많다. 그래서 몇 년 전부터 서점이나 대형 마트에 가게 되면 손을 뻗다가도 아직 쓰지 않는 노트가 많은데, 볼펜이 많은데 하고 꾹 참았다. 그런데 3공 다이어리를 보고 내 마음이 조금 두근거렸다. 일기는 10년 넘게 꾸준히 쓰고 있다. 주로 무슨 일을 했다거나 먹은 것, 본 것을 적는다. 그래도 그나마 일과를 적지 않으면 그날 하루를 날린 기분이 들어 시시한 일들뿐이지만 적고 있다. 어제 일기를 대충 적자면 아침에 고추를 따고 점심엔 오뎅탕을 먹고 낮잠을 잔 뒤 다시 고추를 따고 마른 고추를 고르고 저녁에 강아지 산책 등. 그리고 유튜브로 3공 다이어리 영상 보기. 소소하게 다이어리를 꾸미면 시시했던 일상을 꾸미는 것 같아 기분이 좋다. 일상을 색칠하는 기분이다.

엄마의 삶도 그럴 것이다. 나는 이제 엄마의 맛을 고집

※

하지 않기로 했다. 비록 가끔은 실패할지라도 시도해 보는 즐거움이 있었을 것이다. 대신 설거지 앞에서는 도망치는 딸이 되지 말자. 어째서 저녁 식탁에 없었던 반찬통과 그릇이 싱크대에 있는지, 기름이 잔뜩 묻은 냄비를 어떻게 닦을 것인지 고민하지 말고 설거지하자 다짐해본다.

나누는 마음

해가 뜨거워 쉬는 오후였다. 캄캄한 방 안에서 조용히 숨어 있는데 아빠가 불렀다. 나가보니 빨갛게 익은 천도복숭아가 플라스틱 과일 상자에 가득 있었다. 아빠는 복숭아를 봉지에 담아 친척들에게 나눠주라 했다. 몇 년 전 아빠는 천도복숭아 몇 그루를 심었다. 나는 신 과일을 좋아하지 않는다. 신 것만 봐도 입에 침이 솟고 몸에 소름이 돋는다. 복숭아는 나의 관심 밖이었다. 그래서 꽃이 핀 것도 못 봤는데 불긋하게 오른 복숭아를 보니 시간이 언제 갔나 싶다.

나는 내가 좋아하지 않는 것에는 인심이 좋다. 봉지 가득 네 개를 쌌다. 외삼촌 댁, 당숙 아저씨 댁, 큰 당숙 할머니 댁, 작은 당숙 할머니 댁. 모두 우리 일을 자신들의 일처럼 도와주시는 고마운 분들이다. 올해도 몇 번이나 도움을 받았다.

둘째 동생과 함께 제일 먼저 가깝게 사는 당숙 아저씨 댁에 갔다. 비어 있었다. 생각해보니 서울에 가셨다는 이야기가 떠올라서 집 앞에 복숭아를 내려놓았다가 다시 집었다. 복숭아는 쉽게 무른다. 오늘만 날이 아니다.

다음으로 외삼촌 댁에 갔다. 외숙모는 복숭아를 받자마자 덥다며 아이스크림을 주셨다. 더운 날씨라 감사하다. 외숙모는 우리가 드린 복숭아를 바로 씻어 드시며 맛있다 좋아하셨다. 외숙모 미소를 보니 오길 잘했다. 아이스크림을 들고 나가려는데 외숙모가 냉장고를 뒤적거리셨다. 우리는 괜찮다, 말하며 외삼촌 댁을 도망치듯 나왔다. 외삼촌 댁에 가면 항상 배가 빵빵해져 나온다.

나는 동생에게 나온 김에 드라이브나 하자 했다. 5분이

면 갈 수 있는 동네를 일부러 멀리 돌아갔다. 농사철이
되면서 여유 없는 시간을 보냈다. 돌아가는 길에 아빠
트랙터가 보였다. 아빠는 우리에게 천도복숭아를 나누
어 주라 말한 뒤 트랙터를 끌고 나가셨는데 이 밭에서
일하고 계셨다. 우리는 있는 힘껏(그래봤자 차 안에서)
아빠에게 아는 척을 했지만 아빠는 우리 소리를 듣지
못했다. 그렇다고 차에 내려 아는 척을 한다 해도 할 말
이 따로 있는 것도 아니다. 그냥 지나갈까 하다가 자동
차 기어 옆에 차가운 생수병이 보였다.

날이 뜨거워 동생이 나가기 전에 챙긴 물이다. 우리는
외숙모가 주신 아이스크림을 먹어서 목이 마르지 않았
다. 동생은 차에서 내려 아빠에게 생수를 드렸다. 아빠
얼굴엔 땀이 뻘뻘이다. 돌아가길 잘했다.

동네에 들어와 작은 당숙 할머니 댁에 갔다. 설마 했는
데 역시였다. 기척이 없었다. 한낮인데도 일을 손에 놓
지 못하고 나가셨나 보다. 그래도 돌아올 것을 알기에
문 앞에 복숭아를 놓고 갔다. 다음에는 큰 당숙 할머니
댁에 갔다. 역시 비었다. 문 안에 천도복숭아를 밀어

넣었다. 이대로 카페나 갈까 하다가 논과 밭을 둘러보았다. 한 시간 뒤면 강아지 산책을 해야 하고 고양이들 밥도 줘야 한다. 게다가 가뭄이 심해 논과 밭의 상태가 궁금했다. 논밭을 둘러보고 내려오는데 동네 아주머니가 보였다. 우리 집 일을 많이 도와주시는 아주머니다. 우리는 차 안에 하나 남은 천도복숭아를 드렸다. 고맙다는 말에 마음이 간지러워진다. 저녁 시간이 되니 슬슬 동네 사람들이 밭에서 집으로 갔다.

얼마 안 가 작은 당숙 할머니도 만났다. 할머니 보행보조기에는 방석과 호미가 있었다. 우리는 할머니에게 천도복숭아를 놓고 왔다고 말했다. 할머니는 고맙다 했다. 이제라도 알릴 수 있어 마음이 가벼워졌다. 혹시나 하는 마음에 다시 큰 당숙 할머니 댁에 갔다. 할머니는 돌아오지 않으셨다. 포기하고 집을 떠나는데 할머니가 뒷짐을 지고 천천히 걸어오셨다. 들깨모를 심고 오는 길이라고 했다.

우리는 할머니에게 천도복숭아를 놓고 간다고 말했다. 할머니는 뭐 하러 가져왔냐며 화부터 내셨다. 할머니는 화부터 낸다. 그래도 끝은 항상 웃으며 말한다. "그려, 잘 먹을게." 마음이 따뜻해진다.

해는 자기 소임을 다하고 서서히 지고 있었다. 심부름을 마치고 집으로 돌아가는 길. 차 안엔 동생과 나뿐이었지만 선물을 가득 받고 돌아가는 기분이 들었다.

봄

설순이 반찬통

러시아의 우크라이나 침공과 세계 이상기후로 인해 곡물 생산이 어려워 식량 위기 시대가 올 것이라는 뉴스를 보았다. 마치 지구 종말 몇 초 전 같은 충격이었다. 당장 내가 실천할 수 있는 것은 냉장고 파먹기다. 잊고 있던 냉동식품 해결하기. 있는 반찬 다시 보기. 우리 집은 상을 차릴 때 손이 가지 않아도 기본 반찬 다섯 가지 이상 놓고 먹기에 항상 반찬이 남았다. 손이 큰 것도 아니지만 손이 가지 않아도 반찬이 별로 없으면 부실한 느낌이 든다.

그러다 보니 반찬은 항상 남는 편이었다. 하지만 식량 위기 시대를 생각하니 버리는 반찬이 아까웠다. 그래서 생각한 것이 남은 반찬은 반찬통에 모아 비빔밥을 만들어 먹는 것. 엄마가 반찬을 버리려고 하면 나는 엄마를 막아서고 말한다. "엄마, 그거 설순이 꺼야!"

예전에 농담 삼아 가족끼리 식당에 갔을 때 내가 설순이 줄 거라며 음식을 챙긴 적이 있었다. 당시 키우던 개 이름이 흰순이였다. 그때부터 나는 남은 음식을 쌀 때면 다 설순이 거라고 말한다.

언젠가 인터넷으로 미국 유명 프랜차이즈에서 도넛을 폐기하는 영상을 보았다. 러시아 침공으로 인해 우크라이나 밀 수출이 어려워 밀가룻값이 많이 올랐다고 하는데 팔지 않은 도넛을 쉽게 쓰레기통에 버린다. 같은 날 아프리카 기아 문제가 뉴스로 나왔다.

한국에서도 당장 밀가룻값이 올라 외식 가격이 많이 올랐지만 올랐을 뿐이다. 가격이 머뭇거리지 않아도 되는 액수여서일까? 올 초 자장면값과 짬뽕값이 천 원 올랐다. 우리 집은 나와 동생이 면허를 따면서 점심은 자주 포장해서 먹는다. 다들 면을 좋아하니까 짜장면 아니면 짬뽕이다. 밭일을 하니까 점심때면 기력이 없다. 평소에도 국수나 라면을 자주 먹는데 12시까지 일을 하게 되면 편의상 포장이다. 무엇보다 설거지가 거의 없다.

언론도 마찬가지다. 식량 위기 시대라고 뉴스에서만 나오고 방송마다 음식이 빠지지 않고 나온다. 사장님 나오는 방송에도 먹방, 매니저가 나오는 방송에도 먹방, 혼자 사는 연예인 방송에도 먹방. 사람이 주인공인지 음식이 주인공인지 헷갈린다. 하지만 나부터 어떤 연예인이 나오는지보다 무슨 음식이 나오는지에 따라 채널을 돌린다. 그리고 먹고 싶다고 생각하고 먹을까? 결심을 굳혀간다. 그사이 우리 집 냉장고에는 '설순이 반찬통'들이 하나둘씩 쌓여갔다.

최근 뉴스에는 쌀 재고가 역대 최고라고 했다. 정부에서도 〈논 타작물 재배 지원 사업〉을 진행하고 있지만 논을 밭으로 바꿔 재배하는 것이 쉬운 게 아니다. 우리 집도 논이었던 곳에 콩이나 고추를 심은 적이 있는데 돌이 많아서 고역이었다. 거름도 많이 줘야 한다. 하지만 이마저도 지원이 없거나 축소된 지자체가 많다.

벼농사는 농민이 마지막까지 놓지 못하는 작물이다. 특히 나이 든 농민들은 자신이 지은 쌀을 자식들에게 나누어 주는 게 행복이다. 내가 겪지 않은 끔찍하고 어려운 일들을 보낸 세대여서 무엇보다 자식들 입에 자신이 지은 쌀이 들어가는 것을 기쁨으로 여긴다. 자식들도 다른 농사는 힘들다고 하지 말라고 하지만 벼농사는 자신들이 휴일 때면 내려와 부모님을 돕는다. 다른 농사와 달리 손도 덜 간다. 이분들에게 쌀값이 떨어지니 다른 작물을 지으라고 해도 안 짓는 게 당연하다. 오히려 돈이 더 들어도 울며 겨자 먹기로 농사를 지으실 것이다.

벼농사뿐만 아니라 다른 작물도 마찬가지다. 인건비와 농약값 비룟값은 오르는데 작물 가격은 그대로거나 매년 하락한다. 정말 식량 위기 시대인 걸까.

식량 안보 이야기까지 나오지만 낯선 나라 이야기 같다. 여전히 비싸지만 돈이면 해결할 수 있다는 물질만

능주의가 만연하다. 하지만 이것이 농업 문제만은 아
닐 것이다. 산업인력도 마찬가지다. 방편의 끝은 어디
인 걸까.

지금을 해결할 수 없으면 미래는 없다. 오늘 저녁은 설
순이 반찬통을 꺼내서 비빔밥을 먹어야겠다. 누군가에
게 조언하는 것보다 스스로 실천하는 것이 가장 빠른
식량 위기 대처법일 것이다.

이국 아닌 이국

밀림처럼 무성한 고춧대 사이로 이국의 소리가 들린다. 고추를 따는 중이다. 한국인은 나 혼자다. 엄마와 아빠는 새참을 가지러 갔다. 오늘 일꾼은 베트남인 다섯 명이다. 그들은 결혼하면서 한국에 온 베트남 여자가 운영하는 인력회사에서 온 사람들로 베트남 여자의 친인척과 지인들이라고 했다. 대부분 한국으로 결혼 온 여자들이 초청장을 보내 들어온 사람들로 나이도 많다. 하지만 나이가 많아 보이는 것일지도 모른다.

코로나 이후 외국인 일꾼 구하는 것도 힘들어졌다. 예전에는 외국인 일당이 한국인 일당보다 저렴했지만 지금은 사람이 없어 부르는 대로 인건비를 주다 보니 어느새 인건비는 몇 년 사이 몇만 원이나 뛰었다. 덩달아 한국인 일당도 뛰었다. 한국인 일당이 비싸서 외국인을 썼는데 이제는 반대다.

외국인은 밥값도 따로 받는다. 한국 음식이 안 맞는 것도 있지만 일당 외 수당으로 챙겨 갈 수 있어 밥값을 따로 주는 것을 좋아한다. 우리도 편하다. 일하는 도중에 점심을 차리는 것도 큰일이다.

옆에서 까르르 웃는 소리가 들리기도 하고 음악 소리가 들리기도 한다. 아마 베트남 노래인 거 같다. 외국인들은 종종 자기네 나라 라디오를 틀고 일을 한다. 베트남에 있는 기분이다. 몇 년 전 호찌민으로 동생과 여행을 갔었다. 당시 우리는 베트남 음식에 푹 빠졌다. 도착하고 좋았던 기억 반, 안 좋았던 기억 반이었지만 시간이 지나니 좋았던 기억이 더 많이 남아 있다. 그래서 나는 가끔 베트남 사람들이 주는 간식과 음료를 좋아한다.

예전에 밭에서 베트남 여자들과 일하는데 외국인 남자가 내게 말을 건 적이 있다. "베트남?" 나는 아니라고 말했다. 얼마 있다 남자는 다시 물었다. "베트남?" 나는 다시 말했다. "한국인이에요." 하지만 남자는 믿지 못하는 눈치 같았다. 남자는 우리가 일하는 밭 위에서 우리를 주시했다. 우리가 일하는 밭 위에는 고구마를 캐고 있었는데 그곳도 외국인 노동자들이 일하고 있었다.

한국인들과 일한 지가 언제인가. 동네 사람을 제외하면 한국인들과 일한 적이 까마득하다. 예전에는 한국에 들어온 외국인들은 한국말을 하려고 노력은 했지만 요즘은 노력도 안 한다. 어른들 말로는 한국말을 알아도 모르는 척하는 거라고 했다. 한국말을 알면 시키는 일이 많아 모른 척한다는 것이다. 진실은 알 수 없지만 우리가 무언가 말하면 그들은 자기네 말로 이야기를 주고받는다.

한번은 당숙 할머니가 외국인들과 고추를 따다 큰소리를 내셨다. 고추 말뚝 두 개 정도만 더 따면 한 골을 끝내는데 3시가 되니 바로 쉬러 간다고 화가 난 것이다. 만약 동네 사람들과 고추를 땄다면 마저 한 골을 끝내고 새참을 먹었을 것이다. 하지만 인력회사에서 나온 외국인들은 시간을 딱 맞춘다. 오후 새참 시간이 되면 3시에 나와 3시 30분까지 쉰다.

그들이 그늘에서 쉬는 동안 할머니는 고래고래 욕을 하며 고추를 땄다. 그러자 엄마가 말했다. "쟤네들도 다 알아들어요." 할머니는 누구에게나 욕을 한다. 나에게도 한다. 아마 대통령 앞에서도 할 것이다. 할머니에게 욕은 고된 삶을 살아온 일상의 단어다. 나와 엄마, 할머니는 외국인들이 쉬는 동안 고추밭에서 그들이 따지 않았던 고추를 마저 땄다. 5시면 그들이 가기 때문이다.

그래도 이번에 온 베트남인들은 융통성이 있다. 일하는 눈치도 있다. 어쩌면 회사가 '가족 회사'이기 때문인지도 모른다. 이들과 고추를 따는 건 세 번째다. 나는 그들의 대화를 라디오 삼아 들으며 고추를 딴다. 올해 날씨는 극단적이었다. 가뭄이어서 잎이 마를까 걱정이었는데 고추 딸 때가 되니 비가 많이 내렸다. 그래서 고추 꼭지가 많이 무르고 고추도 많이 떨어졌다.

아빠는 내년에는 고추를 많이 줄여야겠다고 했다. 내년에 가봐야 알겠지만 고추는 다른 작물에 비해 돈이 많이 든다. 인건비라도 빨리 건지고자 생고추를 농산물유통센터에 위탁해도 박스값 상하차비에 경매수수료까지 떼고 나면 남는 것도 별로 없다. 건고추도 마찬가지다. 기름값도 비싸고 소비자에게 믿음을 주기 위해 음성청결고추 비닐 자루로 담으니 자루값도 만만치 않다. 제값으로 내놓으면 비싸다 안 사고 추석이 지나면 값은 뚝뚝 내려간다. 장사꾼은 그냥 가져가려고 하고 정부 수매가 마지노선인데 작년 정부 수매 가격은 근당 8,550원이었다. 그래도 우리 집은 고추가 좋다고 남들보다 50원을 더 쳐준 것이었다. 울어야 할지 웃어야 할지. 농민은 힘이 없다. 그렇게 준다면 그렇게 팔아야 한다.

가끔 고추밭에 있으면 이곳이 어디인가 생각한다. 베트남 사람들이 일하고 베트남 노래가 들리는 이곳은 어디일까. 그들의 일터에 내가 일하러 온 느낌도 든다. 그들에게 이곳의 유일한 외국인은 나다. 이국의 거리에서 미아가 된 기분이 들었을 때 멀리서 아빠의 차 소리가 들린다. 그 소리가 오늘따라 더 반갑다.

가짜 마음

풀이 무성한 고랑 사이로 당숙 할머니의 뒷모습이 보였다. 설마 했는데 오늘도 할머니는 아침부터 밭에 나오셨다. 한동안 고추밭에 줄을 매고 농약을 주고 들깨를 심고 계속되는 농사일에 몸이 지쳤다. 그래도 내일은 쉴 수 있을 것 같다 긴장을 놓았는데 아빠가 갑자기 내일 아침 일찍 참깨밭에 가서 풀을 뽑으라 했다. 날벼락이었다. 암묵적으로 올해 참깨 농사는 포기였다. 남들보다 늦게 심기도 했고 가뭄도 심해 참깨모 절반은 싹이 트지 않았다. 도지도 안 받는 밭이라 포기했구나 싶었는데 아침부터 참깨밭에 가서 풀을 뽑으라고 하다니 마음이 무거웠다.

이유는 당숙 할머니 때문이었다. 아빠가 일을 마치고 고개를 넘어오는데 할머니께서 우리 밭에서 일하고 있었다. 아빠가 놀라서 물어보니 우리 집이 바쁜 거 같아 풀을 뽑은 거라고 했다. '농사일 중 가장 힘든 일이 호미 농사다.' 손으로 하는 농사가 제일 힘들어서 나온 말이다. 대부분 참깨 농사는 두둑에 비닐을 씌우고 파종기를 굴려 씨를 심는다. 그래서 심을 때는 편하지만 나중에 모가 자라면 솎아줘야 하고 풀도 뽑아야 해서 일이 더디다.

올해도 참깨 농사를 짓는다고 했을 때 싫은 내색을 보였지만 나에게는 힘이 없다. 아빠가 심는다고 하면 심는 것이다. 하지만 참깨는 잘 자라지 않았다. 아빠도 내심 포기하고 있었는데 할머니가 무성하게 자란 들깨 밭 풀을 보고 손수 나서신 것이다. 언제나 고마운 할머니였지만 이번엔 야속했다.

나에게는 계획이 있었다. 카페에 가서 글을 쓰는 것. 나는 작가 지망생이다. 이미 글을 쓰고 있으면 작가라고 하는 사람도 있지만 나는 아직 마음의 준비가 되지 않았다. 나는 늘 글을 바로 쓰지 못한다. 항상 생각이 머리에 머문다. 머물기만 한다. 그래서 나의 글은 항상 고여 있고 고여 있다. 앞으로 나아가지 못한다. 지금의 나다.

한동안 글을 쓰지 못하다 오랜만에 마음먹었는데 계획이 무산되니 아무것도 하기 싫었다. 하지만 천성이 시키면 한다. 나는 할머니에게 다가가 인사했다. 할머니는 바쁜데 뭐 하러 왔냐고 다짜고짜 화를 내셨다. 나는 급한 일은 끝났다 말하며 할머니 옆 고랑에 앉았다. 할머니는 나에게 풀 하나를 보여주셨다. "가짜 참깨여." 풀은 참깨와 비슷했지만 줄기가 붉었다.

밭에 주저앉으니 무성한 풀이 더 가깝게 느껴졌다. 가뭄은 작물을 마르게 하지만 반대로 풀은 무성하게 만든다. 신기하다. 같은 식물인데도 일부러 키운 작물은 가물고 저절로 자란 풀은 무성하다.

할머니는 은근슬쩍 내가 풀을 뽑고 있는 두둑으로 와서 올해는 고추는 얼마 심었고 들깨는 얼마 심었는지 물어본다. 아빠는 할머니가 우리 집 일을 도우러 올까봐 농사를 얼마 짓는지 말하지 않았다. 하지만 이렇게 불쑥 우리 밭에 나타나 일을 하시니 난감할 때가 종종 있다. 할머니는 올해 여든여섯이다.

할머니가 이것저것 묻는 말에 대충 대답하다 아차 싶었다. 가짜 참깨풀인 줄 알았는데 진짜 참깨모다. 크기가 비슷해서 헷갈렸다. 참깨모뿐만 아니라 다른 작물도 마찬가지다. 들깨모 옆에는 들깨모와 닮은 풀이 자라고 고추모 옆에는 고추모와 닮은 풀이 자란다. 삼도 배추도 마찬가지다. 꼭 옆에 닮은 것이 자라 사람 눈을 속인다.

궁금증이 풀린 할머니는 아주 오래전 우리 집안 이야기를 해주셨다. 우리 할아버지가 얼마나 무서웠는지 자신이 얼마나 고된 시집살이를 했는지 수십 년이나 지난 일을 어제 일처럼 말씀하신다. 나는 몇 번이고 들었던 그 이야기를 라디오처럼 들으며 풀을 뽑았고 그동안 내가 진짜라고 생각한 가짜를 떠올렸다.

예를 들면 나는 아주 게으르며 형편없다는 것. 재능도 없고 가능성도 없다는 것. 누군가에게 들은 말이 아니라 스스로가 만든 생각이다. 그런데도 나는 왜 글을 쓰려고 하는 걸까. 어떤 교수는 포기하는 것도 용기라고 했다. 그동안 어린 치기로 정한 꿈을 포기하지 못한 것은 다른 꿈이 없기 때문이 아닐까.

나는 이야기를 좋아한다. 읽는 것을 좋아하고 읽고 나면 나만의 이야기를 만들고 싶었다. 그래서 글을 쓰기 시작했다. 하지만 상상은 쉽게 글이 되지 못했다. 배우지 않고 글을 쓸 때는 글 쓰는 것이 세상에서 제일 쉬웠는데 배우고 나니 나의 글은 글이 아니라 낙서였다.

좋아하는 일을 잘하고 싶었다. 잘하고 싶은 욕심이 나를 주저앉혔다. 잘하고 싶은 욕심이 나에게 많은 핑계를 만들어주었다. 그렇게 내 마음을 돌보지 않는 사이 욕심이 진짜 내 마음인 양 자랐다. 나는 그저 좋아하는 일을 하고 싶은 것뿐이었다. 가짜 마음을 뽑고 나니 진짜 마음이 보였다. 풀을 뽑고 나니 훤한 두둑이 보였다.

할머니와 나는 굳은 허리를 펴고 밭을 보았다. 고랑의 풀은 우리가 방석으로 앉아 다녔기 때문에 납작하게 누웠다. 며칠 뒤 농약을 치면 고랑의 풀도 다 죽을 것이다. 나는 할머니에게 감사하다 인사하고 우리 집으로 점심을 먹으러 가자 했다. 하지만 할머니는 손을 휘저으며 나를 보지도 않고 내려가셨다. 나는 할머니의 진짜 마음을 안다.

나는 깔끔해진 참깨밭 두둑을 떠올리며 집으로 걸어갔다. 아직 한낮이다.

고추줄 매기

인디아나 존스가 된 기분이다. 정글 속 유적을 찾아 헤매는 모험가처럼 나는 늘어진 고추를 헤치며 줄을 맨다. 이번에 줄을 매면 네 번째이지만 줄기와 잎은 자신의 몸을 주체하지 못하고 뻗어 있다. 언제부터인가 비가 내려야 할 5월은 가뭄이었고 비가 오지 말아야 할 8월은 비가 길었다. 그만큼 성장도 급작스러웠다. 마치 굶다가 폭식한 사람처럼 몸은 비대해졌지만 상태는 야물지 못하다. 지금의 내 모습이다. 산만 한 덩치에 비해 영양가가 없다.

말뚝에 줄을 감고 제일 작은 모를 기준으로 다음 말뚝을 감는다. 줄을 맬 때는 한 칸 기준으로 제일 크기가 작은 모를 기준으로 묶는다. 그래서 첫 번째 두 번째 줄을 맬 때는 허리를 많이 굽히며 맨다. 세 번째서부터는 허리를 펴며 일하지만 손이 많이 간다. 미처 줄 안으로 들어가지 못한 고추모들과 비가 많이 내리면서 모들이 많이 쓰러져서 줄 안으로 넣기 바쁘다.

왼손에 힘을 꽉 주고 오른손으로는 말뚝에 줄을 감는다. 감은 줄이 꼭 가야금 줄 같다. 나는 우륵이라도 된 것처럼 감은 줄을 당겨본다. 팽팽하다. 처진 내 마음마저 당겨진 기분이다. 첫 번째부터 세 번째까지 모두 이런 식으로 줄을 팽팽히 묶었지만 여러 번 바람에 흔들리고 쓰러지면서 조금 느슨해졌다. 단단하게 박은 말뚝도 오랜 비에 많이 약해졌다. 요령껏 해야 한다. 무작정 힘을 주면 줄을 매다 말뚝이 쓰러진다. 말뚝이 쓰러지면 잘 매어놓은 줄은 다시 느슨해진다.

고추줄을 매는 것은 단순히 고추를 세우기 위함만은 아니다. 볕을 잘 받기 위한 것도 있다. 고춧잎이 우거지면 고추는 분홍초가 된다. 한번 분홍초로 여문 고추는 붉어지지 않는다. 그리고 줄을 매주지 않으면 바람도 잘 안 통한다. 바람이 통하지 않으면 탄저병에 걸리기 쉽다. 고추모 하나가 탄저병에 걸리면 그 주변 고추모는 다 잘라야 한다. 조류인플루엔자에 걸린 닭들을 생매장하듯 탄저병도 다른 고추에 옮기지 않으려면 자르는 수밖에 없다. 약이 독해지는 만큼 병도 강해지는 것 같다.

팔자 매듭으로 고추끈을 묶은 뒤 가위로 자른다. 내가 지나온 길을 본다. 아직 줄을 매지 않는 옆 고랑과 더 비교되어 길이 훤하다. 길이 훤해야 농약 주기도 편하다. 그래서 부모님이 농약을 칠 때는 우비를 입고 친다. 땀에 젖어 푹 젖는 건 마찬가지지만 농약으로 몸이 절여지는 것보다는 낫다. 줄 하나가 대단하다.

다시 팔자 매듭으로 줄을 묶고 줄을 잡는다. 오늘은 부모님이 시켜서 밭에 나온 게 아니라 내가 먼저 고추끈을 들고 밭에 나왔다. 내가 좋아하는 농사일이 있겠냐만 그나마 고르라고 하면 줄 매기다. 라디오나 오디오북을 들으면서 할 수 있고 주저앉아서 일하는 게 아니라 앞으로 나아가서 좋다. 고여 있는 내 마음과 다르다. 항상 주저앉는 나와 다르게 몸이라도 앞으로 나아가고 쓰러진 것을 세우며 가는 동안 내 마음도 조금씩 흐르고 세워지는 것 같다.

그동안 마음에 관해서는 극복했다고 믿었다. 내 행동에 대한 의문들―예를 들어 게으른 이유는 완벽에 대한 집착이고 항상 방전된 이유는 긴장 때문이었다는 것 등―을 조금씩 찾으면서 나에 대한 혐오를 지워갔다. 그래서 잠이 오지 않아도 억지로 자지 않았다. 화가 나면 화가 나는 대로 감정을 바라보았다. 이유를 모를 때보다는 나았다. 하지만 그뿐이었다.

계속 매어줘야 했다. 마음은 그 자리 그대로 있는 것이 아니라 자라는 것이었다. 눈에 보이지 않아서 내 마음의 크기를 몰랐다. 그동안 내가 나를 돌보지 않는 사이 마음은 다시 주저앉았다. 항상 같은 곳만 또 다치는 것처럼 마음도 그렇다. 극복했다고 생각한 것은 나의 오만이었다.

고추줄은 대개 네 번을 맨다. 하지만 크기에 따라 다섯 번을 맬 때도 있다. 아마 여름이 계속된다면 다섯 번 이상은 매야 할 것이다. 사람의 마음도 온기가 있는 한 계속 자랄 것이다. 쓰러진 고추를 세우고 말뚝에 줄을 감는다. 세우기만 했을 뿐인데 고춧대는 크고 당당해 보인다. 나는 팽팽히 감긴 줄을 확인한 뒤 다시 앞으로 나아갔다.

가
을

일기장

오전 내내 자다 동생과 점심 준비(동생이 거의 만들고 난 간만 봄). 돼지고기 김치찌개, 애호박전. 엄마 외삼촌 외숙모 12시에 들깨 베고 오심. 1시에 동생과 같이 엄마 외숙모 외삼촌과 5시까지 들깨 베기. 외삼촌 외숙모께 늘 감사하고 동생도 고맙다. 씻지 않고 해물찜 가게에서 외삼촌 외숙모와 함께 저녁. 막내가 일을 도와드리지 못했다고 죄송하다며 밥값 냄. 7시 30분 집 도착. 씻기. 오랜만의 낮질에 몸이 쑤신다. 내일 마로니에 백일장.

대충 어제의 일기 내용이다.

나는 10년째 매일 일기를 쓰고 있다. 처음엔 하루를 허투루 흘려보는 게 아까워 쓰기 시작했다. 그렇기 때문에 내 일기의 대부분은 무엇을 했고 먹었고 보았는지의 내용뿐이다. 그리고 그 끝엔 괴롭다 죄스럽다 막막하다… 20대 내 일기장은 잿빛이다.

농사하시는 부모님을 돕는 나는 매일 지옥이었다. 그렇다고 집을 나갈 용기도 의지도 없었다. 그냥 동굴에 갇혀 일기나 쓰며 우울하게 지내는 것을 업 삼으며 하루를 보냈다. 그나마 일기는 내가 살아 있다는 증거였다.

내 일기에는 사계가 뚜렷하다. 계절에 맞춰 고추씨를 언제 틔우고 이식하고 비닐을 씌웠는지 하나하나 적혀 있다. 부모님과 함께 일을 했기 때문에 노동일지이기도 하다. 고추를 딸 때면 대부분 우울했다. 언젠가 엄마가 내 뒷모습을 보며 도살장에 끌려가는 소 같다 했다. 딱 그 마음이었다. 난 이렇게 살다 죽겠지.

작가가 되고 싶어 집에 있었다. 단순히 나가서 글을 쓰는 것보다 집에서 쓰는 게 경제적이라고 생각했다. 하지만 나는 부모님의 고혈을 빨아먹고 사는 기생충이었다.

나에겐 발전이라는 게 없었다. 가끔 그 당시 일기를 들추어본다. 매일 눈물이고 피투성이다. 예민하고 열등감에 늘 좌절하던 나. 하지만 이제는 그대로의 너도 괜찮다고 말해주고 싶다.

언제부터인가 일기장 끝에 나는 '가능'이라고 적었다. 나는 가능해. 나는 글을 쓰는 게 가능하고 내일 아침 일어나서 운동하는 것도 가능해. 사실 나는 아직도 이 가능을 제대로 실천한 적이 없다. 나의 결심은 내게 늘 실망을 주지만 예전만큼 우울하지 않다. 왜냐하면 나는 가능하기 때문이다.

또 하나 쓰게 된 건 매일 무엇에 감사하는 내용이었다. 자세히 기억은 나지 않지만 감사 일기를 쓰면 우울감이 낮아지고 행복감은 더 커진다는 말에, 어차피 쓰는 일기인데, 생각하며 그날 감사했던 내용 세 가지도 같이 적었다.

하지만 막상 적으려니 감사한 게 없었다. 나는 하는 일이 없으면 우울했고 부모님이 일을 시키면 힘들어 우울했다. 그래도 꼭 써야 한다면 그날 예쁜 구름을 봐서 감사했고 맛있는 음식을 해주는 엄마에게도 감사했다. 또 매일 재미있는 TV 프로그램을 볼 수 있어 감사했다. 나의 감사는 사소한 것뿐이었다. 나중엔 세 줄 감사 일기는 잊어버렸지만 그날 하루에 대한 것을 써도 자연스레 감사가 묻어나왔다. 여전히 나는 우울한 것이 많지만 그래도 감사한 것들이 내 주변에 있었다. 되돌아보면 딱히 내 처지는 내가 생각한 것만큼 나쁘지 않았다.

과거의 나를 들여다볼 때마다 가슴이 아팠다. 그것은 미래의 내가 지금의 나를 보는 심정일지도 모른다.

나는 그저 매일의 일을 쓴 것뿐인데 내 마음은 그때와 많이 달라졌다.

언젠가 늦은 밤, 친한 동생이 술을 마시고 너무 힘들다고 이제는 자신이 할 수 있는 게 없는 거 같다며 너무 괴롭다 전화가 왔다. 그 모습이 마치 과거의 나 같아 나는 그 동생과 같았던 나이와 전화 온 날짜에 쓴 일기를 메신저로 동생에게 적어 보냈다. 다음 날 동생은 "언니도 이렇게 아팠을 때가 있었어?" 물었다. "응. 그런데 이젠 아팠던 것도 그리워."

동생은 내 말을 잘 이해하지 못한 것 같았지만 나에게도 자신과 같이 아팠던 시절이 있었다는 것에 위로를 받은 것 같았다.

올해 내 일기는 작년과 다를 바 없었다. 봄에는 고추를 심고 여름엔 고추를 따고 가을엔 들깨를 베고 겨울엔 땅이 얼기 전에 비닐을 벗길 것이다. 그럼에도 나는 조금씩 작년과 다름을 느낀다. 그건 일기를 통해 나를 위로하기 때문인지도 모른다. 평범한 일상의 기록이지만 겨우 몇 줄이 나를 키운다.

5시 40분 기상. 6시 30분 아빠가 정류장까지 태워주심. 감사합니다. 7시 동서울 버스. 8시 40분 도착. 9시 30분 혜화역 도착. 김밥 떡볶이 오뎅 사 먹음. 9시 45분 마로니

에 공원 도착. 그동안 갖고 싶었던 스트링 파우치, 좋아하
는 샌드위치, 음료수 박카스. 운이 좋다. 10시 30분 카페
에서 글쓰기…

언제나 비슷했던 날들과 조금 다른 오늘. 오후엔 어떤
일상이 나를 키우게 할지 상상해본다.

아빠의 지게

벼를 베러 가기 전 아빠가 나를 불렀다. 그동안 쌓아놨던 들깨단을 비닐하우스에 세워 놓으라고 했다. 며칠 동안 베어놓은 들깨는 수북했다. 우리 집은 따로 들깨밭을 만들지 않고 논둑이나 밭둑, 밭고랑 사이에 들깨를 심었다. 도지를 내고 나면 얼마 남지도 않아 고랑과 자투리땅이 효자 노릇을 한다. 들깨는 벼 수확 시기와 같다. 아빠가 콤바인으로 벼를 베는 동안 엄마는 들깨를 베신다.

들깨는 한 단씩 볏짚을 끈 삼아 잘 묶여 있다. 마치 수공예로 만든 전통공예품 같아 단아하고 귀엽다. 한편으로는 그 모양에 엄마의 꼼꼼함과 고단함이 배 있는

듯해 가슴이 짠했다. 엄마는 허리협착증을 앓고 계신다. 그래서 허리 쓰는 일은 하지 않는 게 좋지만 시골에서 농사짓는 사람으로 일을 안 할 수 없으니 언제나 아픈 것이 당연하다 여긴다. 그 마음이 내 가슴을 아리게 한다.

비닐하우스는 집 맞은편에 있지만 가파른 언덕 위에 있다. 처음엔 낮을 이용하여 한 단씩 옮겼지만 도무지 줄어들 기미가 보이지 않았다. 그래서 꾀를 내어 손수레로 옮겨보았지만 며칠 전 내린 비로 땅이 물러 바퀴는 잘 굴러가지 않았다. 그러다 마침 비닐하우스 문 앞에 은색 알루미늄 지게가 보였다. 시골에 살지만 지게일은 거의 하지 않았다. 지게로 짐을 옮기는 일은 거의 아빠 몫이었다.

시험 삼아 석 단을 실었다. 들깨단이 흘러내리지 않게 지게에 달린 고무 끈을 어깨에 메고 일어나 보았다. 꽤 무거웠지만 작대기 덕분에 한 걸음 한 걸음 걸을 수 있었다. 왔다 갔다 몇 번 하다 보니 일의 효율성은 높아졌지만 허리는 점점 굽어져 앞을 보기 힘들었다. 어디쯤

왔는지 보려고 허리를 살짝 들면 신음이 절로 났다. 보이는 건 발자국으로 질퍽해진 땅뿐이라 작대기에 의지하며 감으로 비닐하우스로 올라갔다.

잠시 숨을 돌리기 위해 지게를 내려놓았다. 지게 자체는 알루미늄이라 가벼웠다. 아마 전에 쓰던 지게로 옮겼으면 일이 더 힘들었을 것이다. 알루미늄 지게를 쓰기 전에는 아빠가 직접 만든 쇠파이프 지게를 사용했다. 그 지게는 아빠 역사의 한 부분이었다.

십몇 년 전, 젖소 키우는 일과 하우스 고추 농사에 실패하고 모든 것이 경매에 넘어갔다. 경매는 생각보다 일사천리였다. 새로운 집주인은 축사와 집을 부숴야 하니 빨리 나가달라 했다. 결국 쫓기듯 이사를 했고 아무것도 없는 우리는 집을 부수기 전 가져올 수 있는 모든 것을 가져와 집을 지었다. 다행히 돌아가신 할아버지 앞으로 된 땅이 있어 그곳에 터를 잡았다. 우선 비닐하우스를 만들고 그 안에 장판과 창틀, 문짝 심지어 축사에서 쓰던 벽돌까지 가져와 집을 지었다. 비닐하우스 쇠파이프는 젖소 우리 지붕으로 쓰던 파이프였다. 지금 생각하면 정말 알뜰하게도 가져왔다.

숨 가쁘게 비닐하우스 집으로 이사하고 아빠가 제일 먼저 한 일은 하우스를 만들고 남은 쇠파이프로 지게를 만드는 일이었다. 연삭기로 쇠파이프를 자르고 용접기로 하나하나 붙었다. 그깟 지게, 장에서 사 오면 될 걸 왜 저렇게 사서 고생하나 싶었다. 만들고 나서는 새빨간 스프레이까지 뿌렸다.

아빠의 인생은 진흙길처럼 단단하지 않았다. 문방구, 젖소 농장, 비닐하우스 농사 등 하나같이 평탄치 못했다. 오히려 일을 벌이지 않았을 때만 적자를 보지 않았다. 이해할 수 없었다. 왜 앞을 내다보지 못하는 걸까? 어린 내가 봐도 그 일은 아닌데 왜 자꾸 하시려고 하는 걸까? 조금만 보면 알 수 있는데 왜 자신의 감에 의지해 살아가는 걸까?

아빠는 자신이 만든 쇠파이프 지게로 많은 것을 날랐다. 고추 쇠말뚝을 나르고 염소에게 줄 풀도 베어 나르고 참깨도 날랐다. 산에 일을 하러 갈 때도 지게는 함께였다. 무거운 지게로 무거운 것들을 참 많이 날랐다.

무거운 지게로 더 무거운 짐을 옮겼을 때 아빠는 더욱
더 허리를 펼 수 없었을 것이다. 지게를 지고 걸어보니
알 수 있었다. 짐이 무거우면 허리를 펼 수도 앞을 내다
볼 수도 없다는 것을. 오로지 의지할 수 있는 건 작대기
뿐이고 보이는 건 자신의 발끝뿐이다.

하지만 계속되는 내리막에도 아빠는 절대 포기하지 않
으셨다. 오히려 농사를 짓지 않으셨으면 하는 생각도
들었지만 한 번도 손에서 흙을 놓은 적이 없었다. 아
빠의 지게엔 늘 가족이 있었고 그곳이 내리막이든 오
르막이든 작대기에 의지한 채 가족만 생각하며 걸으
셨다.

아빠와 달리 나는 앞만 보고 살았다. 작가가 되고 싶었
고, 그래서 무거운 짐은 될 수 있으면 지지 않으려고 했
다. 내 모든 짐은 부모님 지게에 올려놓았다. 그렇게
가벼운 마음으로 빛나는 것만 쫓았다. 쫓기만 하면 내
것이 되는 줄 알았다. 삶이 이렇게 무겁다는 걸 나는 정

말 몰랐다.

아빠는 지게를 만드셨을 때 무슨 생각을 했을까. 다시 올려놓아야 할 가족의 짐. 아빠는 스스로 그 짐을 올릴 지게를 만드시며 앞으로 나갈 각오를 닦으셨는지도 모르겠다.

그렇게 지게는 10년 이상 아빠와 함께였다. 하지만 재질이 쇠파이프라 결국 삭아버려 새 지게가 필요했다. 그전까지만 해도 조금씩 용접을 하며 사용했지만 더는 용접으로도 해결을 볼 수 없었다. 철물점에서 새로 산 알루미늄 지게는 가벼웠다. 아빠는 사자마자 곧장 새 지게로 예전처럼 쇠말뚝을 나르고 참깨도 베어 날랐지만 쇠파이프 지게와 달리 알루미늄 지게는 몸에 붙는 느낌이 없다고 했다. 마치 고생이 몸에 익었다는 말 같아 가슴이 저렸다.

어느새 노을 진 하늘은 붉게 물든 호수 같다. 바람이 선선하게 불 때마다 그 물결은 내 얼굴에 붉게 스민다.

언제나 자신의 발끝만 보고 걸으셨던 아빠. 이제 자신의 발끝이 아닌 저 노을을 바라보며 앞을 향해 걸으실 수 있도록 아빠의 짐을 내 지게로 옮겨야겠다. 일을 마저 하기 위해 어깨로 지게를 들썩이며 힘을 내본다.

구두와 운동화

인어공주가 된 기분이다. 한 발 한 발 내디딜 때마다 칼날 위로 걷는 것 같다. 왕자를 위해 목소리를 판 것도 아닌데 이게 무슨 고생인가 싶어 결국 생활잡화점에 들어갔다. 체면을 찾을 때가 아니었다. 당장 내 발이 편한 게 중요했다.

항상 운동화만 신던 내가 구두를 신은 건 서울에서 열린 결혼식 때문이었다. 나는 결혼식장에 자주 가는 편이 아니다. 오히려 부모님 지인 결혼식 가는 것이 맘 편했다. 결혼식장에서 만난 친척들은 대부분 내 걱정을 많이 했고(결혼은 언제 하니? 책은 언제 나오니? 등) 그럴 바에 내가 알아서 피하는 편이 낫다. 하지만 이번 결혼

133

식은 사정이 복잡했다.

그날 오후엔 서울에 글쓰기 수업이 있었다. 점심도 해결해야 했고 무엇보다 동네에서 전세 버스를 타고 가면 서울까지 버스비가 들지 않았다. 자존심이 앞섰으면 그것을 뒤로하고 부모님과 따로 서울에 갔을 것이다. 아니면 버스만 타고 수업에 가거나. 하지만 그것을 뛰어넘을 만큼 나는 식탐이 강했다.

읍내 결혼식장도 아니고 서울 결혼식장 뷔페다. 내가 사는 곳에서는 맛볼 수 없는 음식을 먹을 수 있다는 생각에 가슴이 두근거렸다. 맛있는 음식을 먹을 수 있다면 친척들 잔소리는 참을 수 있을 것 같았다. 그래도 여러 말 중에 옷과 신발을 두고 책잡히고 싶지 않았다. 서울 지하철 안에 있을 때까지는 그게 화근이 될지 전혀 몰랐다.

구두는 작년 막냇동생 결혼식 이후 처음이었다. 오랜만에 신었던 구두는 낯설었지만, 허리가 꼿꼿이 서지는 느낌이 좋았다. 겨우 신발이 바뀌었을 뿐인데 당당해지는 느낌이 들었다. 엄마도 이제는 운동화만 신지 말고 구두도 신어보라고 했다. 하지만 결혼식이 끝나자마자 차 안에서 바로 구두를 벗었다. 발은 잠깐 사이에 퉁퉁 부어 있었다. 별로 높은 구두도 아닌데 이것보다 높은 구두를 신고 일을 하는 여자들이 새삼 대단하게 느껴졌다.

뷔페는 상상했던 맛이었다. 딱히 손에 가는 음식은 없었는데 배불렀다. 나는 부모님께 인사하고 지하철을 탔다. 그리고 조금씩 발이 아파지기 시작했다.

구두는 걷지 않아도 신는 것만으로도 발이 조여온다는 사실을 고통으로 체험했다. 가양역에서 여의도역 가는 급행까지는 괜찮았지만 광화문역에서 내리는 순간, 나는 인어공주가 되었다. 하지만 나에게는 임무 하나가 있었다. 그것은 조계사에 가서 기도하는 것이다.

가난하고 무직인 내가 믿을 수 있는 건 기도뿐이었다. 기도 덕분인지 다행히 나는 몇 년 동안 격주로 서울에 올라와 수업을 받는다. 글을 쓸 수 있게 해주셔서 감사합니다, 기도는 나에게 단단한 믿음이었다. 이제 그 기도를 하지 않으면 마치 불경을 저지르는 것 같아 죄책감이 들었다.

다행히 광화문역에서 조계사는 가까웠다. 한 발 한 발 조심스레 내디디며 조계사에 도착했다. 나는 합장하며 조계사에 올라간 뒤 대웅전 부처님께 인사했다. 그리고 극락전에 들어가 지장보살님, 석가모니부처님, 관세음보살님께 합장한 뒤 좌정했다.

기도하는 동안 몸도 마음도 편했다. 특히 발이 편해지면서 마음도 느긋해졌다. 염불 기도를 마치고 구두를 신는데 발은 구두를 거부했다. 나의 발은 철창에 갇힌 길고양이처럼 미친 듯이 버둥거렸다. 나는 발이 진정되길 바라는 마음으로 기다렸다. 하지만 시간이 갈수록 수업 시간에 가까워졌고 자유의 맛을 알게 된 나의 발은 구두를 거부했다.

내가 걸을 수 있을지 심각하게 걱정되었다. 조계사를 나오며 이대로 안 되겠다 싶어서 근처 생활잡화점에 갔다. 그리고 그곳에서 가장 싼 슬리퍼를 샀다. 계산하자마자 점원에게 부탁해 가위를 빌렸다. 구두를 벗어버리고 슬리퍼를 신자 그곳이 천국이었다. 발걸음이 이보다 가벼울 수 있을까. 인사동에서 정장 바지에 슬리퍼를 신은 사람은 나 하나뿐이었지만 상관없었다.

나는 편한 운동화만 찾는 것처럼 편한 삶을 원했다. 내 맘에 조금이라도 거슬리면 나는 쉽게 거부했다. 친구도 맘이 안 맞으면 쉽게 인연을 끊고 직장도 쉽게 관뒀다. 마음이 내키는 대로 살다 보니 정작 내가 이루어놓은 건 아무것도 없다. 그 자책감이 싫어 더 편한 삶으로 도망쳤다. 그런 편안한 삶은 내 운동화 뒤축처럼 날 주저앉게 했다. 글쓰기도 그랬다.

수업이 끝나고 동생에게 언제 올 건지 전화가 왔다. 매일 구두를 신고 출근하는 동생에게 언제쯤이면 구두가 익숙해지는지 물었다. "신다 보면." 동생은 신다 보면 익숙해진다고 했다. 그 한마디에 늘 쉽게 내던진 나의 삶, 나의 꿈이 보였다. 편한 것만 익숙한 나.

글쓰기도 그럴 것이다. 쓰다 보면 익숙해지겠지. 이번 만큼은 이 고통을 끌어 안아봐야겠다. 익숙해질 때까지. 오늘 신은 구두가 앞으로 내 발에 익숙해질 때까지 나의 글쓰기도, 나의 삶도 그러했으면 좋겠다.

산이 관찰기

7월 말, 막냇동생이 아기를 낳았다. 이름은 산. 우리 집은 아기가 아기를 낳았다 생각했다. 모든 막냇동생은 나이가 몇 살이든 그 집안에서는 아기다. 적어도 우리 집은 그렇다.

나는 막내의 출산에 별 감흥이 없었다. "동생이 결혼해서 부럽지? 아기 보니깐 결혼하고 싶지?" 등 이런 이야기를 들으면 "아."라는 단조로운 반응만 나올 뿐 마음에 미동도 없다. 그래도 막내가 나와 둘째 대신 효도하는 거 같아서 미안하고 고맙다.

산이가 태어나고 한 달 만에 제부에게 연락이 왔다. 동

생이 매우 힘들다 했다. 제부는 직장 특성상 일주일에
이틀 야근하는 날은 밤에 집에 없어 막내 혼자서 아기
를 돌봐야 했다. 유난이라 여겼다. 나랑 일곱 살 차이
나는 막내는 어리광이 심했다. 아직도 내 무릎만 보면
앉으려 하고 친정에서 잠을 잘 때면 같은 방에서 자자
며 용돈으로 나를 협박한다(물론 내가 받는 쪽이다). 나
는 제부 연락을 받고 큰 걱정을 하지 않았다. 아이를 낳
기 전에 백과사전 같은 육아 사전을 샀고 산후조리원
에서도 2주 동안 교육을 받았다. 오히려 막내가 아이를
낳아본 적 없는 우리보다 한 수 위다.

나의 육아 이미지는 텔레비전이 전부다. 아기가 밤에
울면 부부가 힘들어한다. 서로 돌보기 싫어서 미룬다.
아기 피부는 프랑크 소시지처럼 매끄러우면서도 건들
면 톡 하고 터질 것같이 단단하지만 연약한 느낌이 있
다. 아기는 항상 체온 유지를 위해 무언가 푹 덮는다.
어떻게 보면 고양이 키우는 지식보다 더 모른다.

엄마가 처음 산이를 안을 때 산이 방긋방긋 웃었다. 할
머니 보고 웃는다, 하니 아기는 처음 태어날 때 시각과

청각이 약하다고 했다. 그래서 낯가림이 없다. 요즘에는 아기가 손을 타지 않게 많이 안아주지 않는다고 한다. 산모가 힘들기 때문이다. 하지만 어쩔 수 없이 손이 간다.

신생아는 두 시간에 한 번씩 밥을 줘야 한다. 먹고 자는 게 일이라고 하지만 분유는 뚝딱 나오지 않는다. 밥도 꿀꺽 먹는 게 아니다. 잠도 쉬이 자는 게 아니고 트림도 그냥 시키는 게 아니다. 두 시간에 한 번씩이라는 말은 신생아 부모에게는 잠은 한 시간에 한 번이라는 말과 같다.

예전에 텔레비전에서 장정 같은 남자에게 운동과 육아 중 뭐가 힘드냐고 묻자 육아라고 말하며 우는 소리를 냈다. 웃자고 하는 소리인 줄 알았는데, 진짜였다. 우선 잠을 못 자니 고문이다. 산이는 용도 잘 쓴다. '용쓰네, 용쓰다'라는 말을 은유가 아닌 직유로 산이를 통해 알게 되었다. 그래서 농담 삼아 "처음 배운 게 발길질이랑 주먹질이네." 했다. 무언가 불편하거나 배에 가스가 차면 온몸으로 용을 쓰며 자신의 상태를 알린다.

아무것도 모르는 세상에 태어나 소통하려고 하는 게 기특하다.

산이를 처음 보며 놀랐던 건 피부였다. 아기 얼굴에 각질이 피었다. 아기 피부는 예민해서 쉽게 열꽃이 폈다. 신생아 체온은 성인 체온보다 조금 높다. 그래서 항상 실내온도를 24도로 해야 한다. 그래도 열꽃이 생겼다. 엄마는 "옛날에는 아이는 무조건 따뜻하게 키워야 한다고 이불을 푹 덮어줬는데." 말씀하시며 걱정스레 산이를 보니 막내는 칼같이 잘못된 옛날 육아법이라고 한다.

열 때문인지 산이는 머리가 커지면서 두피 각질이 지루성 피부염처럼 심해졌다. 지금은 잉어 비늘처럼 딱딱하다. 엄마도 막내에게 병원에 가야 하는 거 아니냐고 물으니 각질은 크면서 없어진다고 한다. 하지만 볼때마다 걱정이다.

나와 둘째가 간다고 해도 막내의 일이 주는 건 아니다. 우리는 보조다. 산이 울면 우리가 안고 있을 때(거의 둘째가 돌보지만) 막내는 분유를 탄다. 막내가 밥을 먹일 때면 수유 쿠션을 갖다준다. 막내가 산이를 씻기면 우리는 욕조를 치운다. 집안일이 있으면 둘째는 산이 트림을 시킨다. 30분을 안아서 등을 토닥토닥한다. 우리의 진짜 역할은 막내가 무슨 일을 겪든 당황해하지 않고 안정감을 찾게 해주는 품이었다. 우리가 있어 막내는 화장실을 마음대로 갈 수 있게 되었다. 아이 혼자 돌보는 엄마나 아빠에게는 이것이 가장 큰 도움이 아닐까.

막내가 빨래를 너는 동안 나는 산이 배 마사지를 해준 적이 있다. 배가 내 손바닥보다 작다. 이 안에 심장도 있고 위도 간도 신장도 여러 가지가 꼬물꼬물 다 있다고 생각하니 신기하고 신비롭다.

이제 산이는 70일을 넘겼다. 아직 신생아다. 그런데도 처음 만났던 때보다 훨씬 더 커진 느낌이다. 그때보다 더 많이 운다. 표정도 더 풍부해졌고 옹알이 같은 말이 터질 때면 미소가 절로 난다. 아직 100일도 아득하다. 하지만 작년을 생각하면 어제 같다. 앞으로 나의 관찰기는 계속될 것 같다. 그때마다 얼마나 작은 기쁨이 생겨날지 기대된다.

일 안 되는 날

콤바인이 논에 빠졌다. 예상했던 일이다. 올해는 큰 태풍이 오지 않았지만 비가 자주 왔다. 땅이 말라야 벼 베기가 수월했는데 모든 논이 다 질었다. 그래서 벼를 벨 때마다 콤바인이 빠졌고 트랙터로 빼기 일쑤였다. 이번 논은 다른 논들에 비해 가장 까다로웠다. 그리고 돈도 많이 들었다.

논은 열 마지기 땅으로 다른 논들에 비해 큰 땅이었다. 논이 크면 일이 수월하다. 수확도 많다. 네 마지기, 다섯 마지기 논을 베러 다니는 것보다 이동도 편하다. 하지만 이 논은 배수에 문제가 있어 남의 땅임에도 올해, 우리 돈을 들여 수로를 정비했다. 남의 땅에 돈을 들여

농사를 짓는 게 수지에 안 맞기는 하지만 길게 보고 한 결정이었다.

하지만 잦은 비로 벼는 대부분 납작하게 쓰러졌다. 다행히 풍수해보험을 들었지만 보상은 40%밖에 받지 못했다. 다시 말해 열 마지기 논이다. 올해 우리는 벼농사를 약 백 마지기를 했다. 열 마지기면 한 해 논농사의 10분의 1이다.

벼를 베기 전, 쓰러진 벼를 세우기로 했다. 벼는 질척한 논바닥에 딱 붙었다. 바닥에 붙은 벼 중에는 퍼런 것도 있었다. 차라리 포기하는 게 낫겠다 싶었지만 역시 아까웠다. 아빠는 우선 안 쓰러진 곳 위주로 살살 갔다. 그동안 나와 엄마, 동생은 아빠가 지나갈 곳에 긴 대나무 막대기를 이용해 벼를 세웠다. 볍씨가 땅에만 닿지 않으면 되지만, 이미 뿌리까지 쓰러진 벼를 세우는 건 쉬운 일이 아니다.

첫 줄은 무사히 베었고 오른쪽으로 돌며 질척해진 논바닥을 피해 베려고 했는데 결국 모두의 예상대로 푹 빠졌다. 그런데 문제가 있었다. 빠진 논바닥 흙은 모래였다. 수로를 정비하면서 둑도 새로 다듬었는데 옆에 흐르는 냇가 바닥과 섞이면서 모래가 많아졌다. 바퀴 전체가 빠졌다.

아빠는 트랙터를 가져오셨고 다행히 외삼촌도 오셔서 도와주셨다. 문제는 갯벌 같은 논바닥이었다. 콤바인을 빼러 간 트랙터도 빠졌다. 포크레인을 부르면 되지만 바로 오는 것도 아니고 돈도 아까웠다. 한 시간을 씨름해서 콤바인이 겨우 빠져나왔다. 쓰러진 벼를 최대한 밟지 않으려고 노력했지만 어쩔 수 없었다. 트랙터가 있던 자리는 벼와 진흙이 엉기며 거대한 구멍이 생겼다. 아까웠지만 그래도 다행이었다. 하지만 고생은 보답받지 못했다. 다시 트랙터에 콤바인을 연결해서 잡아당겨 보았지만, 바퀴는 헛돌면서 더 깊게 빠졌다.

이번에는 논 위의 밭에 올라가 당겨보기로 했다. 다행히 빼냈다. 벼 베러 온 지 세 시간이 지났다. 그다음부터는 아기 머리에 이발기를 밀듯 살살 밀며 탈곡했다. 하지만 얼마 안 가 또 빠졌다. 정말 일 안 되는 날이다.

결국 벼 세우기는 포기다. 엄마는 나와 동생에게 집에 가라고 했다. 집에 온 뒤 염소 밥을 주고 강아지를 산책시키고 고양이를 귀여워해 주니 금세 어둠이 찾아왔다. 점점 겨울이 오고 있다는 게 느껴졌다. 동생은 어제 만들려고 했던 배추술찜을 했다. 어제가 부모님 결혼기념일이었는데 일이 있어 그냥 지나갔다. 깨끗이 씻고 나니 개운해졌다. 배추술찜을 맛있게 먹고 후식으로 단감을 깎아 먹었다. 하루가 지고 있었다.

잠들기 전 오늘 하루를 떠올렸다. 우리 가족은 안 되는 일에 매달렸다. 잘 될 거라는 보장도 없었다. 결과는 예상했다. 하지만 손을 놓을 수 없었다. 그게 더 안타깝기 때문이다. 하지만 떠올려보면 그 일은 오늘의 일부였다. 나는 곧장 오늘 먹었던 저녁이나 읽었던 책 내용을 떠올리며 내일 할 일을 생각했다. 생각에 생각을 더하다 보니 오늘 있었던 일은 점점 뒤로 물러났고 꿈이 찾아왔다. 무슨 꿈을 꾸었다. 분명 꿈을 꾸었지만 눈을 뜨니 기억나지 않았다. 어제 일도 희미해졌다. 나른함만 남았다.

가짜 뉴스

본의 아니게 설거지 중이다. 좋은 마음으로 해야 하지만 조금 억울한 마음도 들었다. 결국 내 발등을 내가 찍었다. 내가 죽상으로 저녁 설거지를 하게 된 것은 신문에 기고한 칼럼 때문이다. 나는 칼럼 말미에 나의 각오를 적었다. 설거지에서 도망치지 말기로. 쌓여 있는 설거지를 미루지 말고 스스로 하기로. 하지만 나의 각오는 지난 신문처럼 쉽게 잊었다. 그래서 오늘도 저녁을 먹고 도망가려고 하는 나에게 동생은 칼럼 이야기를 꺼냈다. 나는 항변했다. "그거 가짜 뉴스야!"

결국 싱크대 앞에 섰다. 패배자가 된 마음으로 고무장갑을 끼고 수세미를 들었다. 설거지는 신기하다. 분명 먹은 사람은 네 명인데 쌓여 있는 건 열 명은 먹은 것 같다. 냄비도 여러 개다. 반찬 그릇이며 반찬을 담았던 통 그리고 요리하다가 쓴 그릇 등등. 치우는 게 귀찮은 것만큼 먹는 것도 귀찮으면 얼마나 좋을까.

예전에 한복디자이너 이효재 선생님께서 설거지하는 모습을 방송에서 본 적이 있다. 귀여운 나이트캡을 쓰시고 설거지하시는데 설거지를 하면 마음이 깨끗해지는 것 같아 마음이 복잡할 때면 일부러 부엌 살림을 꺼내서 설거지를 하실 때도 있다고 한다. 살림을 깔끔하게 잘하는 사람을 보면 예쁘다. 내 마음까지 정갈해지는 기분이다. 하지만 그런 기분인 것과 내가 하는 것은 다르다. 내가 설거지를 해야겠다고 마음먹은 것과 설거지를 하는 지금의 기분이 다른 것처럼.

설거지를 마치고 나는 거사를 치른 개선장군처럼 소파에 앉았다. 엄마는 나에게 수고했다며 멜론 하나를 포크로 집어 주셨다. 동생은 커피를 타주었다. 설거지 하나로 영웅 대접을 받는다.

뉴스에서는 가짜 뉴스 이야기가 나왔다. 뜨끔했다. 예전엔 가짜 뉴스를 누가 믿나 했는데 코로나 이후 그와 관련된 가짜 뉴스가 많아졌다. 읽어보면 그럴듯하다. 본인을 의사라고 말하며 시작하는 글이 대다수다. 외국 교수의 이름을 빌리거나 센터가 발표한 글이라고 하지만 찾아보면 검색되지 않는 경우가 많다.

특히 유튜브는 심각하다. 자극적인 제목의 영상은 분야를 가리지 않는다. 과학, 의료, 정치, 연예인, 스포츠 선수 등 자신들의 입맛에 맞게 요리하고 영상을 올린다.

예전에 가짜 뉴스라고 하면 기업과 관련된 사람들이었다면 지금은 조회횟수와 직결되었다. 광고 수입과 연결되기 때문이다. 그래서 검열이 없고 자극적이다. 이런 영상을 누가 믿을까 싶은데 언론은 그 내용을 받아 기사로 작성하고 배포한다. 그렇게 만들어진 가짜 뉴스는 정정되지 않는다. 오히려 원출처의 잘못됨을 지적한다. 애초에 잘못된 내용을 보도하지 않았으면 되지 않았나 아쉽기만 하다.

우리 집도 가짜 뉴스에 피해를 볼 뻔했다. 아빠가 어느 날 락스를 사오라고 했다. 아빠는 한 번도 우리에게 락스나 세제를 사 오라는 말을 한 적이 없었다. 이유를 들어보니 유튜브를 봤는데 락스와 소금을 섞어 뿌리면 고추 탄저병을 잡을 수 있다는 것이다. 동영상을 보면 그럴듯한 말로 이야기한다. 하지만 막상 들어보면 개인적 사견이고 변화에 대한 분석도 없다. 실제로 피해 사례들이 많아 〈농민신문〉에서 그에 관련된 기사가 나왔지만 아직 락스가 탄저병에 효과가 있다고 믿고 있는 사람들이 있다.

한동안 동물구충제가 암 예방에 효과가 있다고 암환자들 사이에서 화제가 된 적이 있다. 특히 어디에 기댈 곳이 없는 말기 환자들은 마지막이다 생각하고 동물구충제에 희망을 건 것이다. 이것 역시 가짜 뉴스였다.

언제부터인가 가짜가 인용되는 사회가 되었다. 진짜를 말하기 위해 증거를 찾는 것보다 내 입맛에 맞는 가짜가 더 편리하기 때문이다. 그리고 점점 스스로가 가짜에 갇히게 되어 다시 가짜를 만든다. 내 느낌도 확실했다. 나는 저녁 설거지를 할 수 있다. 각오를 다지자 마음이 뿌듯했다. 하지만 현실은 다르다. 뿌듯한 마음은 잠깐이었다. 공수표처럼 남발한 나의 각오는 나에게 돌아왔다. 그 책임은 온전히 내 몫이다. 가짜 뉴스도 그럴 것이다.

밤에 자란다

버스에서 내리려는데 기사 아저씨가 말씀하셨다. "도깨비 나올라." 나는 능청스러운 버스 기사 아저씨의 말을 뒤로 넘기며 감사합니다, 인사하고 내렸다. 오후 6시가 넘은 시각, 들판에는 어둠이 내리고 있었다. 모를 심은 게 엊그제 같은데 벌써 9월 중순이다. 멀리 서쪽의 큰 산을 바라보았다. 해는 붉게 노을 지고 있었고 나는 아직 떠 있는 해를 보며 안심했다. 버스 정거장에서 집까지는 걸어서 15분 정도 걸리지만 농로 주변이 논과 밭이라 가로등이 없다. 가로등이 있다고 해도 지금 시기는 불을 켜지 않는다. 곡식이 여물어야 하기 때문이다.

농사를 짓지 않는 사람은 잘 모를 것이다. 가로등 때문에 곡식이 자라지 않는다는 것을. 가끔 동생이 사는 도시에 가면 빛나는 밤에 주눅이 든다. 내가 사는 곳은 밤 9시면 식당도 문을 닫는다. 그래서 코로나가 한창일 때도 불편함을 느끼지 못했다. 시골에 계속 살아온 나는 어렸을 적이나 지금이나 밤에 어디를 나간다는 것은 모험이다. 어둠이 내리면 집으로 돌아간다. 그것은 내게 당연했다. 밤은 무서운 것. 불투명한 것. 보이지 않는 것. 나는 언제나 어두운 밤을 외면했다.

논둑에는 들깨가 화단처럼 빡빡하게 자라고 있다. 시골 사람들은 땅을 허투루 두지 않는다. 손바닥만 한 땅이 남아도 무엇이든 심으려고 한다. 우리 집도 그렇다. 여러 곡식 중 들깨를 많이 심는 것은 꽂아놓기만 해도 잘 자라기 때문이다. 농약도 많이 안 먹는다. 대신 빛에 약하다. 들깨는 가로등 밑에서는 자라지 않는다. 여물지 않고 웃자라기만 한다.

그래서 종종 외지인과 마을 사람들은 마찰을 일으킨다. 아직 밤이 낯선 외지인은 가로등 불을 켜려 하고 마을 사람들을 불을 끄려 한다. 빛은 생각보다 멀리 퍼져

나간다. 당사자가 느끼기에는 가로등이 자기 집 마당에만 비추고 있다 생각하지만 빛은 주변 전체에 스민다. 모든 것을 눈뜨게 한다.

밤이 무서운 나는 내 안에 가로등을 켜놓고 살았다. 은유적이 아니라 삶이 그랬다. 남들이 잘 때 나는 책을 읽거나 영화를 보았다. 쉽게 잠들지 못하는 친구와 전화 통화를 하거나 인터넷 세계에 빠졌다. 세상의 재미를 집 안에서만 찾았다. 빛은 나에게 많은 걸 보여주었다. 나의 밤은 늘 밝았고 가로등 아래 들깨처럼 밤 모르게 자랐다.

그냥 자라는 줄 알았다. 아이가 저절로 큰다고 믿는 것처럼. 밤의 중요성을 몰랐다. 기사로 식물 성장호르몬에 대한 글을 보았다. 사람도 밤에 자야 잘 크는 것처럼 식물도 밤에 자야 한다고 한다. 식물 성장호르몬은 밤에 분비가 되는데 빛의 파장으로 밤인지 낮인지 알 수 있다. 온몸으로 느끼는 것이다. 사람도 마찬가지다. 모든 잠은 같다고 생각했다. 낮과 밤의 잠이 다른지 몰랐다. 나는 어리석고 오만했다.

세상과 소통하지 않는 나는, 내가 느끼는 것이 전부인 줄 알았다. 내가 겪는 것만 진실이라고 생각했다. 작은 것에도 예민한 나는 내 마음에 걸리는 것들을 하나씩 제거했다. 부모님도 나에 대한 인정인지 체념인지 잔소리도 많이 줄어들면서 나는 느긋한 삶을 즐겼다. 저녁 이후는 누구에게도 방해받지 않았다. 그 시간이 좋았다. 그런데 정말 좋았던가. 좋았던가. 혼란스럽다.

해가 떠오르면 괴로웠다. 아무것도 하지 못한 내가 부끄러웠다. 빛으로부터 도망간 곳은 꿈이었다. 잠은 내게 안락이다. 평화롭고 무해한 곳이다. 꿈은 신기하다. 눈을 감는데도 보인다. 상상이지만 감각은 현실과 같다. 꿈에서 웃으면 정말 웃기고 꿈에서 슬프면 실제로 눈물이 나온다. 그래서 그것이 나의 진짜라 여겼다. 나는 겪지 않는 대부분의 감정을 꿈속에서 배웠다. 꿈속은 밝았다. 꿈속의 밝은 낮 속에서도 나는 빛 안에 있었다.

카페에 다녀오는 길이다. 오랜만에 글을 쓰기 위해 장소를 바꿔보았지만 결국 빈손이다. 사실 무엇을 써야 할지도 모르겠다. 쓰고 싶은 글은 많다. 하지만 웃자라기만 한 생각들, 여물지 못한 문장들. 나는 아무것도 수확할 수 없었다. 가로등 밑에서 자란 들깨처럼.

졸음을 이기지 못한 해는 어느새 큰 산 아래로 들어갔다. 밤이 점점 여물어간다. 들깨도 벼도 날아가는 새도 밤을 맞이할 준비를 하고 있다. 마음이 조급해진다. 빨리 빛이 있는 곳으로 달려가고 싶다. 하지만 발걸음을 재촉하지 않기로 했다. 밤을 받아들여야 한다. 자라기 위해서는, 여물기 위해서는 기꺼이 밤을 받아들여야 한다. 나는 천천히 걸으며 밤의 세계로 걸어갔다. 어둡고 불투명하고 보이지 않는 불안 속으로. 조금만 걸으면 집이다.

익어가다

고추 꼭지는 고집이 세다. 아직 세상 밖을 나가기 싫은 것일까. 그 모습이 나 같다. 생각 없이 고추를 따다가 는 꼭지 없는 고추를 따게 된다. 다른 지역은 꼭지 없이 따는 곳도 있다지만 잘못 말리면 꼭지 주변만 색이 달 라져 희나리가 된다. 희나리는 상품 가치가 없다. 남들 이 보면 고추는 똑똑 잘 따질 것 같지만 실제로는 우격 다짐이다. 어떨 때는 줄기까지 딸려 올 때도 있다. 생 각해보면 한여름 뜨거운 볕에도 살아남은 고추다. 나 보다 힘이 센 게 당연하다.

고추를 딸 때는 꼭지도 잘 붙어 있어야 하지만 뒷부분 까지 빨갛게 잘 익었는지 확인해야 한다. 고춧잎이 그

늦져 가끔 다 익지 않는 고추를 딸 때가 있다. 시간이 지나면 저절로 붉어지기는 하지만 그대로 말리면 희나리가 된다. 풋고추는 상관없지만 홍고추로 팔 때는 신경 써야 한다. 붉게 잘 익어야 한다.

잘 익은 고추를 보니 새삼 시간이 빠르다. 고추 심을 때가 엊그제 같은데 벌써 9월이다. 시골 일을 모르는 사람은 아직까지 고추를 따냐고 놀란다. 고추는 기본 세 번은 딴다. 병만 오지 않는다면 다섯 번까지도 따지만 요즘은 병이 오면 고춧대를 다 잘라버린다. 아빠는 이번에 고추를 따면 고춧대를 자를 거라 했다.

요즘은 엄마와 단둘이 고추를 딴다. 한꺼번에 많이 딸필요가 없어졌다. 일당도 많이 올랐지만 기름값도 올랐다. 그래서 기름을 쓰는 벌크를 돌리지 않고 전기 건조기로 고추를 말린다. 건조기는 세 칸으로 열세 포대가 들어간다. 열세 포대면 엄마와 아침 9시에 나와도 충분히 딴다.

고추와 옥신각신하며 엄마에게 오늘 점심은 무언지 물

어본다. 엄마가 제일 싫어하는 질문이다. 나는 알면서
도 물어본다. 여름 내내 우리 가족은 면 종류를 참 많이
먹었다. 라면, 잔치국수, 메밀국수, 냉면, 짜장면, 냉짬
뽕, 냉우동……. 점심엔 면이 편하다. 설거지도 편하고
김치 반찬 한 가지만 있으면 된다. 다행히 우리 가족은
면을 좋아한다.

엄마와 한참 먹는 이야기를 하다가 갑자기 엄마가 웃
었다. 물어보니 전에 텔레비전에서 봤는데 어떤 젊은
사람이 풋고추가 익으면 빨간 고추가 되는 건지 몰랐
다고 한다. 나는 그 말이 거짓말 같으면서도 깻잎을 들
깨에서 따는 걸 모르는 사람도 있다는 걸 알기에 이해
는 갔다. 자라는 과정을 모르면 그럴 수 있다.

20대의 나는 자라기에만 급급했다. 이른 나이의 성공
이 진짜 성공인 줄 알았다. 반짝반짝 빛나는 것만 가치
있는 줄 알았다. 그래서 천재에 열광했고 글을 잘 쓰기
위해 작법서 위주로 책을 읽었다. 내가 글을 못 쓰는 이
유는 기술이 없어서라고 생각했고 등단한 또래의 글들
을 보며 좌절했다. 나는 재능이 없었다.

그 시절 나는 거의 글을 쓰지 않았다. 책도 안 읽었다. 해마다 챙겨보던 신춘문예 당선작 소설도 읽지 않았다. 그래도 표면상은 작가 지망생이었다. 그 말마저도 부끄러웠다. 부모님이 시키면 일을 했고 일을 안 시키면 게임을 했다. 게임이 지겨우면 인터넷을 했다. 고통이 내 일과였다.

갈색 고추에 시선이 간다. 그늘진 고춧잎 사이로 보니 검은색처럼 보이기도 하고 보라색처럼 보이기도 한다. 익어가는 중이다. 풋고추가 홍고추가 되기까지 색은 서서히 변한다. 푸른 것이 익으면 붉은 것이 된다. 신기하다. 물고기가 새로 변하는 것처럼 교차점이 없어 보이는데 푸른 것이 익으면 붉은 것이 된다. 고추만이 아니다. 모든 자연이 그렇다. 나는 갈색 고추를 보며 고통의 색깔은 이런 색이 아닐까 상상해본다.

아무것도 안 하고 세월을 낭비하고 있다고 생각한 20대. 나는 천천히 익어가고 있었다. 풋고추가 홍고추가 되기까지 고추는 주어진 대로 그 자리에서 익어갔다. 볕에 주어지면 볕을 받고 바람이 불면 바람을 맞았다. 그렇게 자신을 변화시켰다.

그때 유일하게 썼던 것은 일기였다. 나에게 일기는 문학이 아니었다. 사소한 일상을 적은 메모이자 낙서였다. 그런데 백일장에서 그 이야기를 썼더니 운 좋게 상을 받고 등단까지 했다. 상을 받는 건 좋았지만 정말 받아도 되는 걸까 걱정되었다. 실수가 아닐까? 나중에 취소시키는 게 아닐까? 나는 늘 쓸데없는 걱정만 앞선다.

가끔 지난 일기장을 본다. 새삼 내가 자랐음을 느낀다. 익어가고 있다는 게 느껴진다. 그때는 다 힘들었다. 다 괴로웠다. 즐거운 날은 맛있는 음식을 먹는 날뿐이었다. 지금은 다르다. 그때와 상황이 변하지 않았어도 힘들게 느껴지지 않는다. 예전 같으면 아침 9시에 고추를 따도 화가 났을 텐데 요즘은 라디오를 들으면서 고추를 따니까 재밌다.

나는 어느 정도 익었을까. 껍질이 두꺼운 나는 빨리 익지 못할 것이다. 아직 여물지 못한 심지가 느껴진다. 고집 센 고추를 수확하며 익어가는 나의 색을 생각해본다.

근육통

한 골을 끝내자 허리가 끊어질 것 같아 굽은 허리를 폈
다. 온몸에 전기가 찌르르 돋는다. 기운이 빠진 나는
두둑에 철푸덕 앉았다. 들깨를 모으는 중이다. 아빠가
예초기로 들깨를 베면 엄마와 내가 낫으로 들깨를 모
은다. 대부분 들깨가 완전히 자라면 사람 허리까지 자
라는데 이 밭의 들깨는 사람 키만큼 크다. 키가 큰 만큼
들깨가 많이 달렸으면 좋은데 웃자라기만 했다.

두 마지기 되는 이 밭은 작년에 콩을 심었다. 하지만 콩
이 자라기 무섭게 고라니가 먹었다. 한 입 두 입이 아
니라 두 마지기 전부 다 먹었다. 울타리도 소용없었다.
하는 수 없이 콩을 다시 심었지만 고라니한테는 새 상

163

을 차려준 격이다. 고라니가 새우젓을 싫어한다고 해서 새우젓을 뿌려도 보았다. 화장실 청소할 때 쓰는 크레졸을 싫어한다 해서 울타리 말뚝에 걸어도 놓았지만 소용없었다. 결국 백기를 들고 올해 심은 것이 들깨다.

다행히 고라니는 들깨를 싫어했다. 내 기준으로 농사 중에서 제일 만만한 농사가 들깨 농사다. 우리 집은 들깨를 심을 때 비닐을 씌우지 않는다. 아빠가 두둑에 50cm 간격으로 구멍을 내면 내가 모종을 넣고 발로 꾹 밟는다. 그게 끝이다. 농약도 다른 작물에 비해 적게 뿌리고 줄도 안 맨다. 그리고 들깨를 모을 때는 일꾼을 얻어서 신경도 안 썼는데 올해는 달랐다.

들깨는 참깨와 달리 밭에서 말린다. 한 번에 옮길 수 있을 정도로 모으고 바짝 마를 때까지 그대로 둔다. 참깨는 베고 나서 하우스 안에서 말려야 하지만 들깨는 아니다. 참깨처럼 예민하진 않아서 살살 옮기면 씨가 안 떨어져 두둑에 그냥 말린다. 그동안 주로 마른 들깨단만 옮겼는데 오늘처럼 마르지 않는 들깨를 옮기려니 허리가 끊어질 것 같다.

오늘이 3일째다. 앞으로 몇 개의 밭은 더 해야 한다. 오 랜만의 낫질이라 더 힘든지 모른다. 에쿠니 가오리의 수필 내용이 떠올랐다. '좋아하는 것들'이라는 제목의 짧은 글로 기침을 하다가 배가 아파오면 나에게 복근 이 있었나 기뻐하는 내용이다. 걸레질할 때도 팔이 아 파오면서 근육통이 생기는데 그게 기쁘다고 한다. 손 수건을 빨면서 시녀 놀이하는 부잣집 아가씨를 보는 것 같다. 그리고 진짜 시녀는 이런 아가씨를 동경하는 법이다.

나는 농사가 힘들면 에쿠니 가오리가 쓴 소설이나 수 필을 읽는다. 내용이 쉽게 넘어가는 것도 있지만 그녀 의 책을 읽으면 현실을 잊게 된다. 그녀에게 근육통이 란 농사일로 전신이 끊어질 것 같은 느낌이 아니라 걸 레질로 느끼는 근육의 느낌이다. 심지어 근육통이 사 라지면 근육이 사라지는 것 같아 서럽다고 한다. 참 달 다. 너무 달아서 뇌까지 달아지는 기분이다.

맞은편 산을 바라보았다. 색색이 가을로 물들었다. 농 사를 지으면 계절을 모르고 지나갈 때가 많다. 벗나무를 보면 올해 꼭 벚꽃 구경을 가야지 생각하지만 막상 갈 시간이 없다. 가을 단풍도 그렇다. 하늘도 파랗게 쾌청한데 마음은 갑갑하다. 근육통 때문은 아니다.

엄마한테 함께 밭에 가자고 했을 때 엄마는 나에게 드디어 철이 들었다고 했다. 내 입에서 먼저 밭에 가자고 하는 건 드물기 때문이다. 항상 일을 따라갈 때는 죽상을 하고 따라가지만 집에서 아무것도 하지 못하고 뒹구는 것보다 차라리 부모님 따라가는 게 덜 괴로웠다.

몇 달째 글을 쓰지 못하고 있다. 몇 개의 공모전을 보내고 더 괴로워졌다. 괴로운 만큼 글이 써진다면 얼마나 좋을까. 오히려 쏟아낼 것이 많아서 시작을 못 하는지도 모른다. 모른다. 나는 늘 모른다. 모르니까 부모님을 따라 밭으로 나왔다. 나는 괜히 낫을 땅에 박으며 화풀이한다.

엄마는 아빠 가까이 있다. 엄마는 허리가 안 좋은데도 낫질에 관해서는 프로다. 기계를 들고 일하는 아빠를 부지런히 따라간다. 패기 좋게 부모님을 따라나섰지만

166

사실 나는 많이 도움이 되지 못한다. 부모님을 도운 지가 몇 년인데 나는 아직 서당 개만도 못하다. 이래저래 심술궂은 마음만 돋는다. 예초기 소리가 멈추자 엄마는 가방에서 캔커피를 흔들었다. 나는 낫을 지팡이 삼아 일어나 엄마와 아빠가 있는 곳으로 갔다. 고랑이 길어서 가는 것도 일이다.

엄마는 집에서 깎아 온 사과를 나에게 주었다. 엄마가 더 힘들 텐데 나는 엄마 옆에서 죽는 소리를 내며 앉았다. 엄마는 늙은 딸의 투정이 재미있는지 어깨를 주물러 주었다. 나는 "어깨 말고 허리." 하며 엄마를 부려먹는다.

"오랜만에 해서 그래." 엄마가 말했다. 오랜만에 해서. 그 말이 계속 남았다. 해가 지자 집으로 왔다. 여름과 달리 가을의 해는 빨리 져서 좋다. 저녁을 먹고 내 방에 들어와서 침대에 철푸덕 누웠다. 구겼다가 편 신문지 같다. 너덜너덜한 상태로 엄마가 한 말을 떠올렸다. 오랜만에 해서 그래.

글도 마찬가지다. 오래전부터 작가가 되겠다고 다짐했지만 나는 아직 글의 근육이 잡히지 않았다. 꾸준히 근력을 길러야 했지만 그렇지 못했다. 근육이 필요하다. 날아오는 공을 쉽게 받아치고 무거운 짐을 쉽게 들 수 있는 근육처럼 글도 그래야 한다. 근육을 길러야지. 운동처럼 매일 조금씩 꾸준히. 눈을 감으며 결심을 다져보지만 내일로 미뤄본다. 우선 잠이 고프다.

겨울

들에서 삶을 배우다

들녘의 푸른 열기는 한소끔 식어버렸다. 찬기를 머금은 바람은 빗자루질하듯 차례차례 겨울 들녘을 쓸고 있다. 하지만 우리 밭은 아직 가을이다. 낫으로 베어놓은 메주콩을 모으는 중이다. 이 밭은 여름내 강낭콩을 심은 뒤 수확 후 메주콩을 심었다. 이제 이모작은 당연하게 되었다. 고추를 심었던 밭에는 배추를 심었다. 이모작뿐만 아니라 논둑이나 밭둑 사이사이 콩을 심었다. 모두 언저리에 심었지만 수확하다 보면 웬만한 밭한 뙈기는 나온다. 그러다 보니 제일 늦게 수확하게 되는 건 늘 메주콩이다.

메주콩은 보채는 법이 없다. 늦게 베고 쌓아 놓아도 잘

튀지 않는다. 같은 콩이라고 해도 서리태, 쥐눈이콩은 성격이 예민해 비 맞기 전에 거둬야 한다. 그렇지 않으면 콩깍지는 쉽게 벌어진다. 보채는 아이들 먼저 수확한다. 그렇게 순서가 밀려 제일 늦게 수확하게 되는 것이 메주콩이다.

아침에 썰렁했던 것도 잠깐, 금세 몸이 더워졌다. 엄마는 진작 점퍼를 벗고 일을 하신다. 엄마 허리엔 복대가 차 있다. 협착증으로 고생하시는 엄마는 조금만 일을 해도 허리가 아프시다. 계속 일을 줄여야지 하면서도 봄이 되고 여름이 되면 늘렸으면 늘렸지 줄어들지 않는다. 그래서 엄마의 허리는 나을 날이 없다.

힘이 들어 나는 엄마에게 좀 쉬었다 하자 조른다. 아빠가 없으면 나는 금방 농땡이다. 아빠는 콩을 내려놓으러 가셨다. 차로 갔으니 20분 정도 여유가 있다. 엄마랑 나랑 하는 이야기는 별말이 아닌데도 지루하지 않다. 어린 시절부터 외딴집에 살아 엄마는 나의 가장 친한 친구다. 서른이 넘은 나는 아직 독립을 하지 못했다. 독립뿐만 아니라 직장도 다니지 않는다. 농담 삼아 나는 부모님을 모시고 산다, 부모님이 독립할 생각을 안 한다며 너스레를 떨지만 늘 부모님께 죄송하다. 나는 부모님의 아픈 손가락이다.

장 담그는 이야기를 하는 중이었다. 콩을 많이 심고 나서 우리 집은 해마다 장을 담갔다. 장을 담그면 된장, 고추장부터 간장까지 나온다. 당숙 할머니가 하신 말씀이 있다. "팥 살림은 필요 없어도 콩 살림은 필요한 법이여." 메주콩은 모든 장의 씨앗이 된다. 장을 담근다 해도 바로 먹을 수 있진 않다. 시간의 세례가 필요하다.

여름날 아빠는 예취기로 콩 순을 두 번이나 쳤다. 나는 저렇게 잘 자라는데 왜 순을 칠까 생각했다. 난 웃자라기 바빴다. 글을 잘 쓰고 싶어 작법 책을 읽고 소설이나 수필을 읽더라도 어떻게 하면 이렇게 잘 쓸 수 있을까 생각했다. 한 번도 웃자라는 마음을 잘라내고 다시 곱씹어본 적이 없었다. 그렇게 순을 친 콩은 다시 자란다. 한번 베어졌다고 멈추지 않고 다시 자란다. 그리고 다 자랐다고 생각할 때 또다시 순을 친다. 열매를 튼튼

하게 하는 과정이라고 했다.

언제나 급급했다. 아무것도 하지 않으면서 지금 당장 무언가 이루고 싶었다. 뭐가 그리 급급했을까? 하나하나 천천히 땅을 다지고 올라와도 되는데 나는 껑충껑충 뛰어 올라가고 싶었다. 그래서 쉽게 좌절했고 쉽게 포기했다. 내가 할 수 있는 거라곤 부모님 일을 돕는 것뿐이었다. 화만 고였다. 나는 왜 이것밖에 안 되는 걸까? 나는 왜 이러고 사는 걸까? 사는 것도 사치스럽다 생각했다. 그 화는 점점 단단히 굳어 돌덩어리가 되어 내 심장을 짓눌렀다. 그래서 늘 답답했다. 그렇게 20대 젊은 날을 보냈다. 아깝다는 생각도 들지만 그 시간을 흘러왔기 때문에 지금의 내가 있는 것이다.

이제는 겨울 들녘처럼 한소끔 꺼진 나의 청춘. 아직도 제대로, 올바르게 살아갈 자신이 없다. 여전히 갈대처럼 많이 흔들린다. 하지만 이제 쓰러져도 다시 서는 법을 조금 안다. 기다리는 법을 안다. 시간의 힘을 안다. 휑해진 콩밭을 보았다. 이제 내 마음을 추수할 차례다.

✳

기도

염주 한 알에 부처님을 찾으며 마음 깊은 곳 소원 하나를 빈다. 또 한 알에 다른 소원 하나… 나는 허공만큼 소원이 많다. 나의 기도는 마음을 비우는 기도가 아닌 욕심을 채우는 기도다. 지방에 사는 나는 한 달에 두 번 글공부하러 서울에 올라간다. 마음만 앞서 시작한 공부라 현실은 만만치 않다. 가난한 내가 오직 기댈 수 있는 분은 부처님뿐이다. 그래서 수업 전 종종 강의실과 가까운 절에 들러 나의 욕심을 빈다.

정근 기도를 마치고 지장보살님, 석가모니부처님, 관세음보살님께 두 손 모아 삼배하고 염주를 챙겼다. 문득 염주를 보니 방학 기간이라 한동안 뵙지 못했던 수필 교실 선생님이 떠올랐다. 나는 이 염주를 선생님께 빌려드린 적이 있다.

집에서 세월을 좀먹으며 나를 몰아세울 때, 우연히 내가 사는 지역의 수필 교실을 알게 되었다. 전문대 문예창작과를 나온 나는 글공부에 대한 목마름이 있었지만, 주변에 배울 수 있는 곳은 없었다. 무엇보다 이유가 없으면 집 밖을 나가지 않는 나에게 일주일에 한 번이라도 세수하고 나가는 핑계를 만들고 싶었다.

첫날, 수업이 끝나고 긴장이 풀린 나에게 선생님이 먼저 다가와 말을 건넸다. "결혼은 하셨어요?" 항상 듣던 질문이라 또, 인가 싶었지만 내색하지 않고 하지 않았다고 답했다. 그러자 선생님은 "자유롭겠다." 하고 조용히 웃으시며 말씀하셨다. 생각지도 못한 답이었다. 나는 내가 자유롭다고 생각한 적이 한 번도 없었다. 나는 유배된 황제처럼 갇혀 있었다. 집 안에서만 목소리가 컸지 집 밖을 나가면 아무것도 아닌 내 처지를 항상 비관했다. 하지만 선생님 한 마디에 내 안의 장막은 걷히고 한 줄기 빛이 스며들었다.

그렇게 반년만 다녀야지, 했던 나는 1년을 다녔고 2년을 넘겨 수년째 선생님 밑에서 배우고 있다. 선생님의 첫 만남을 기억할 때면 오늘같이 생생한데 벌써 몇 년이 흘렀다. 그만큼 수필 교실을 다니며 배운 것도 많고 쌓인 추억도 많았다. 특히 선배님 한 분이 병에 걸려 우리 모두 마음 졸인 일이 있었다. 그런 큰 병이 내 주변 사람에게 찾아왔다는 것이 믿어지지 않았다. 우리가 할 수 있는 건 기도뿐이었다. 다행히 수술은 잘 끝났고 선생님과 우리 모두 안심했다. 그렇게 내 마음속에서도 그 걱정은 쉽게 잊혀졌다.

어느 정도 안정을 찾은 선배님은 자신이 사는 곳으로 우리를 초대했다. 식사는 아직 무리라 가벼운 티타임이었다. 운전은 총무님이 하시고 선생님은 옆자리에 앉으셨다. 나는 뒷자리에 앉아 소풍 가는 기분으로 며칠 전 내린 눈을 감상하며 바깥 풍경에 푹 빠졌다. 잠시 후 선생님은 총무님께 혹시 묵주가 있는지 물어보았다. 총무님은 선생님과 같은 천주교 신자라 차 안에 묵주가 있을 거로 생각하신 것 같았다. 총무님이 곤란해하며 없다고 하자 나는 친구 집에서 보았던 묵주가 떠올랐다. 그래서 선생님께 "저 염주는 있는데 괜찮을까요?" 하고 물어보았다.

장난스러운 마음도 있었다. 내가 갖고 있던 것은 108알 염주로 묵주기도에 쓰이는 묵주 알의 개수와 다르다. 나는 선생님이 말씀하시기도 전에 염주를 꺼내 보였다. 그러자 선생님은 내 염주를 받고 조용히 웃으시며 "고마워요." 하고 말씀하신 뒤, 도착할 때까지 나직이 묵주기도를 하셨다.

낯뜨거웠다. 선생님이 기도를 읊으실 때마다 그 작은 소리는 가시가 되어 내 얼굴을 쿡쿡 찔렀다. 사실 내 마음엔 선배님에 대한 걱정은 없었다. 나에게 선배님은 다 나은 환자였다. 더 이상 불안을 내 안에 두고 싶지 않았다. 기도하는 선생님의 뒷모습을 보며 법정 스님이 하신 말씀이 떠올랐다. '종교란 회색의 이론이 아니라 살아 있는 행동이다.' 선생님의 기도에는 종교의 격식과 구분이 없었다. 제자를 위한 간절한 마음뿐이었다.

그동안 나의 기도는 나를 위한 것이었다. 선배님을 위한 기도도, 친구를 위한 기도도 진심이었지만 한편으로는 내 마음이 편해지고자 했던 기도였다. 한 번이라도 그들의 시선에서 기도해본 적이 있었던가. 나중에서야 우리가 걱정할까 봐 선배님이 자신의 수술 경과를 가볍게 말했다는 것을 알았다. 그날 진지하지 않고 농이나 던졌던 내 모습이 너무 부끄럽고 죄송스러웠다.

나는 집으로 돌아가는 내내 선생님의 기도를 내 안에 담았다. 하지만 선명했던 꿈도 잠에서 깨고 나면 흩어지는 것처럼 나는 그 모습을 쉽게 잊었다. 나는 그날처럼 쉽게 잊지 않기 위해 다시 염주를 잡고 정좌했다.

이번에는 나를 위한 기도가 아닌 그동안의 참회이자 모두의 무사 안녕을 위한 기도다. 어쩐지 욕심 하나가 더 늘어났다. 하지만 늘 조바심만 났던 내 기도와는 다른 깊고 맑은 환희심이 내 마음을 채운다.

걷다 보면

어느 날 앞산에 빨간 컨테이너 건물이 보였다. 엄마와 나는 그것이 무엇인지 궁금했다. 우리는 그쪽이 도로 공사 중이니 건설사에서 사용하는 컨테이너가 아닐까 생각했다. 하지만 밤이면 빨간 십자가 모양이 반짝거렸다. 교회가 새로 생긴 것일까. 며칠 궁금해하던 엄마와 나는 그곳에 가보기로 했다. 우리는 산책을 가장하며(하지만 실제로 산책인) 빨간 컨테이너 방향으로 걸었다. 도착하니 요양원이었다. 그곳에는 빨간 컨테이너 이외도 여러 컨테이너가 있었다. 요양원 어르신들은 볕을 쬐기 위해 마당에 옹기종기 앉아 있었다. 엄마와 나는 사실을 알고 시시해졌지만 속은 후련했다. 그리고 우리는 말할 수 있었다. 저 건물은 요양원이야.

이 모험(?)으로 엄마는 용기를 얻었는지 이번에는 마을 오대산 비밀을 풀고 싶어 했다. 마을 오대산 정상에는 큰 정자가 있다는 것이다. 하지만 소문일 뿐, 실제 정자를 본 사람은 별로 없었다. 정자 이야기를 해준 사람도 다른 사람한테 들었다고 했다. 우리는 실체를 확인하고 싶었다.

우리는 오대산이 마을 제일 높은 산이라는 것만 알았지 다른 정보는 거의 없었다. 엄마와 나는 무작정 앞으로 걸었다. 하지만 첫날은 실패였다. 겨울이라 해가 빨리 졌고 염소 밥을 줘야 할 시간이 되었기 때문이다.

다음 날 우리는 아침에 염소 밥을 주고 출발했다. 다행히 산 중턱에서 동네 사람을 만나 길을 물었다. 그냥 앞으로 쭈욱 가라고 했다. "정말 정상엔 정자가 있나요?" 물으니 가보면 안다고 했다. "얼마나 더 가야 하나요?" 물으니 금방이라고 했다. 우리는 그냥 쭈욱 가라는 말과 금방이라는 말을 의지 삼아 앞으로 걸었다. 힘들었지만 새삼스러웠다. 앞으로 가면 앞으로 가진다. 우리는 30분 이상을 걸었지만, 정상 기미는 없었다. 다행히 나무 중간중간 오대산산악회라고 적혀 있는 등산 리본를 보며 제대로 가고 있음을 알았다. 정상은 보이지 않았고 산은 가팔랐다. 엄마와 나는 엉금엉금 오르며 앞으로 갔다. 오르다 보니 평지 같은 것이 보였다. 먼저 도착한 엄마는 그곳에 오르자 "뭐야!" 소리를 질렀다.

나는 엄마 목소리에 마지막 힘을 내며 올라갔다. 정상 평지에는 큰 평상이 있었다. 소문으로 듣던 정자는 보이지 않았다. 나는 우리가 길을 잘못 온 게 아닐까 의심했는데 평상 앞쪽에 표지석이 보였다. 오대산 정상 397m. 우리는 빨간 컨테이너처럼 시시하다고 생각하며 평상에 앉아 가져온 맥주를 마셨다. 맥주는 시원했다. 이곳에 오르며 포기하고 싶은 적이 몇 번 있었다. 하지만 조금만 걸으면 비밀을 알 수 있을 것 같아 포기할 수 없었다.

꿈을 포기 못 한 나는 또래보다 많이 늦었다. 아까운 청춘을 집 안에서만 보냈고 아직도 부모님께 의탁하며 산다. 모아놓은 돈도 없고 재작년 겨울, 겨우 등단 딱지 하나 건졌지만 삶은 등단 전과 다를 바 없다. 하지만 모든 하루가 무의미했던 것은 아니었다. 정상만 바라보면 그곳은 굉장히 높아 보여 내가 갈 수 없는 곳처럼 느껴진다. 하지만 걷다 보면 그곳에 간다.

산에서 내려와 동네 사람을 만났다. 산책이냐는 말에 엄마는 오대산에 다녀왔다고 했다. 그리고 의기양양하게 말했다. "정자는 없고 평상만 있더라고요." 나는 그 말이 승리자의 말투 같아 웃음이 나왔다. 가본 사람만 할 수 있는 말이다.

오래 보다

창고 천장에서 쥐가 움직이는 소리가 들리자 삼생이는 귀를 삐죽 세웠다. 실룩샐룩, 사냥감에 집중한 엉덩이가 귀엽다. 삼생이는 삼색 고양이로 한 달 전, 우리 집 창고에 둥지를 틀었다. 처음부터 애교가 많았던 삼생이는 임신한 것 같았다. 아빠는 고양이를 싫어했지만 창고에 쥐가 많아 끈끈이를 설치해 놓은 참이었다. 우리는 끈끈이를 치우고 귀여운 파수꾼을 맞이했다.

삼생이는 연신 엉덩이를 흔들며 천장을 바라보았다. 무슨 수로 천장에 있는 쥐를 잡으려고 할까. 구멍도 없고 들리는 건 소리뿐이다. 나는 의자에 앉아 삼생이를 관찰했다. 천장에서는 쥐가 무엇을 갉아 먹는 듯 소리

를 냈고 삼생이는 언제든지 뛰어오를 자세를 하고 있
다. 갉아먹는 소리가 잠잠해지자 삼생이는 빠르게 물
건들 사이로 후다닥 올라갔다. 하지만 처음부터 아무
렇게나 쌓아 올려진 물건들, 박스나 자루, 안 쓰는 냄
비 등이 요란한 소리를 내며 우드드 떨어졌다. 삼생이
는 사냥감을 놓친 것보다 자기가 낸 소리에 더 놀란 눈
치였다. 나는 삼생이에게 다가가 머리를 쓰다듬어 주
었다. 삼생이는 금세 골골거리며 아까 일을 잊은 듯 내
품에 들어왔다. 나는 그런 삼생이가 귀여워 꼭 안아주
었다. 주변이 보이지 않았을 것이다. 오로지 쥐를 잡아
야 한다는 집념밖에 없었을 것이다. 그 모습이 내 모습
같다.

나는 고양이를 매만지며 오늘도 나의 실패와 마주한
다. 며칠 전 나는 운전면허시험에 떨어졌다. 한두 번도
아닌 몇 번이나. 스스로 바보가 아닐까 의심이 들고 자
괴감에 빠진다. 하지만 냉정히 생각해보면 운전면허
시험은 내 인생을 바꿀 만한 큰 시험도 아니었다. 단지
무료한 삶을 조금 벗어나고자 한 작은 도전이었다.

그럼에도, 그럼에도 불구하고 나는 이 패배감에서 빠져나올 수 없다. 실수를 떠올릴수록 실패가 더 크게 느껴졌다. 애초에 왜 나는 도전하려고 했을까. 근원적인 질문까지 파고든다. 나는 고양이를 더 꼭 끌어안았다. 그러자 삼생이는 내가 귀찮은 듯 내 품에서 빠져나와 자신의 털을 핥았다. 그리고 스크래쳐가 있는 곳으로 다가가 자신의 발톱을 긁었다. 고양이는 자신의 즐거움을 금방 찾는다. 그건 나와 다르다. 난 즐거움을 쉽게 찾지 못하고 여물지 않은 딱지를 긁듯 실패만 복기한다.

나는 자리에서 일어나 삼생이가 어질러놓은 물건들을 주웠다. 시험에 떨어지고 나는 많은 위로를 받았다. 하지만 위로를 받을수록 마음은 가라앉았다. 그동안 무책임하게 위로했던 말들이 나에게 되돌아오는 것 같다. 그때의 나는 분명 진심이었지만 고통까지는 몰랐다. 나는 말을 쉽게 뱉고 쉽게 잊는다. 어쩌면 벌일지도 모른다. 이런 끝도 없는 자책을 하며 물건들을 치웠다. 치운 김에 정리도 했다. 삼생이는 볕이 보이는 곳에 앉아 볕을 쬐고 있었다.

나도 고양이 옆에서 볕을 쬐었다. 오랜만에 청명한 날씨다. 저런 맑은 해라면 내 괴로움도 태울 수 있을 것이다. 나는 해를 오래도록 바라보다 눈이 시려 두 눈을 꼭 감았다. 맑았던 빛이 가시가 되었다. 눈을 감자 붉은빛이 아른거린다.

맑은 빛도 오래 보면 시리다. 하물며 괴로움은 더할 것이다. 나는 내 괴로움에서 눈을 거두고 삼생이를 쓰다듬었다. 삼생이는 내 손길 때문인지 아니면 볕이 좋아서인지 다시 골골거린다. 그 소리가 내 안에 스민다.

칠전팔기 운전면허 합격기

시동을 끄자 내 심장은 쿵 하고 앉았다. 도로주행 네 번째 시험이다. 곁눈질로 살짝 감독관을 보았다. 감독관은 고개를 갸우뚱거리며 좀처럼 말을 하지 않았다. 감독관 말 한마디에 나는 천국과 지옥을 오갈 것이다. 나는 몇 초 사이 동안 온갖 불행을 상상했다. 그러면서도 설마, 라는 희망이 새어 나온다. 나는 내가 무엇을 실수했나 짚어보았다. 내가 모르는 실수가 있을 것이다. 차선을 오래 밟았을 수도, 감독관이 느끼기엔 핸들과 브레이크 사용이 미숙했다고 판단할 수도 있다.

"합격입니다." 감독관 말 한마디에 나의 부담은 바람 빠진 풍선처럼 휙 하고 날아갔다. 우습지만 기적의 존재를 온몸으로 느꼈다. 올해 행운을 다 쓴 것만 같다. 두 달 동안 나를 괴롭힌 운전면허시험으로부터 해방이다.

작년 12월, 아빠가 운전면허학원비를 주셨다. 내키지 않았다. 나는 운전에 항상 두려움을 느끼고 있어 배우고 싶지 않았다. 버스가 편했고 급하면 택시를 타면 된다. 하지만 엄마가 충주나 서울로 병원에 갈 때면 차 시간 때문에 불편했다. 그리고 가끔 엄마가 텔레비전에서 맛집을 보며 가고 싶다고 할 때 바로 가면 좋을 텐데, 종종 생각했다. 운전면허증이 있으면 바로 갈 수 있다. 게다가 내 돈이 아니라 아빠가 돈을 준다고 하는데 한번 해보자 결정했다.

필기는 가볍게 통과했지만 문제는 실전이었다. 나는 아주 심각했다. 못하니깐 연습도 부담스러웠다. 장내주행에 두 번 떨어지고 세 번은 감점 없이 통과했다. 세번째 시험에 용기를 얻고 도로주행은 어떻게든 되겠지 생각했지만 오산이었다.

첫 번째 도로주행시험은 교차로에서 좌회전하다가 중

앙 분리대 봉을 박아 실격되었다. 그래, 이 정도면 재미있는 술안주 에피소드다, 스스로 위로했다. 그렇게 본 두 번째, 세 번째 시험은 처참했다. 누구에게 말하기도 부끄럽다.

세 번째는 붙을 줄 알았는데, 네 번째 시험을 보려니 도저히 용기가 나지 않았다. 가족들 앞에서 죄인이 된 기분이었다. 가족들은 또 보면 된다고 위로해주었지만 떨어지면 가족들에게 또 실망감을 줄까 봐 두려웠다. 겨우 운전면허시험 가지고 죄인이 된 기분인데 더 큰 시험에 떨어진 사람들은 얼마나 지옥일까. 시험에 떨어진 모든 사람이 행복해졌으면 좋겠다는 생각을 했다. 일곱 살 어린아이가 된 기분이다.

시험 보는 날까지 매일 도로주행 코스를 돌며 연습했다. 하지만 시험 보기 위해 차 안에 타자, 나의 머리는 새하얘졌다. 연습은 연습이고 이번 시험에 떨어지면 네 번째 불합격이다. 두 달 동안 나는 운전면허 시험 때문에 지옥에서 살았다. 이번에 떨어지면 영원히 운전면허와 굿바이라고 생각하고 시동을 켰다.

칠전팔기. 필기시험에서 장내주행, 도로주행까지 여덟 번 시험 만에 운전면허시험에 합격했다. 운전면허증을 발급받으러 충주 운전면허시험장에 들어서는데 불합격 소리가 들렸다. 그 소리에 내 가슴이 덜컥하며 모르는 수험생이지만 응원했다. 나는 앞으로 몇 번의 공모전에 떨어질 것이다. 신춘문예나 문학 공모전 등. 그때마다 나는 운전면허시험을 떠올릴 것 같다. 하다 보면 된다. 내가 포기하지 않는다면.

직접 보아야 알 수 있는

아빠는 종종 집 앞에 지나는 비행기를 보면 "청주공항으로 가는 비행기네."라고 말씀하셨다. 나는 정말일까 궁금했다.

나는 하늘 보는 것을 좋아한다. 하늘엔 볼 게 많다. 해도 있고 달도 있고 별도 있고 구름도 있다. 특히 매일 다른 구름을 볼 때마다 마법을 직관하는 기분이다. 마냥 신기하다. 구름은 빛에 따라 날씨에 따라 모양과 색깔을 달리한다. 파란 하늘의 하얀 뭉게구름을 볼 때면 마음이 산뜻해지고 노을이 지는 주홍색 구름을 볼 때면 마치 다른 세계에 있는 게 아닐까 착각을 한다. 한때 UFO에 심취할 때에는 큰 구름을 볼 때마다 저 안에

UFO가 숨어 있는 게 아닐까 상상했다.

사실 나는 아직도 밤하늘의 비행기를 볼 때마다 다 UFO로 착각해버린다. 그것이 더 즐겁다. 그래서 비행기를 탈 때면 무서움 반 설렘 반이다. 무서운 이유는 이륙할 때 부정이 익숙한 타입이라 '비행기가 떨어지면 어쩌지?' 걱정을 사서 하기 때문이다. 하지만 그 무서움을 이기면 내가 좋아하는 것을 실컷 본다. 해도 보고 구름도 볼 수 있다.

12월 초 엄마 환갑이라 제주도로 여행을 갔다. 코로나 이후 처음으로 비행기를 타고 가는 여행이다. 걱정이 컸다. 공항은 청주공항. 아빠의 지령은 비행기 안에서 우리 집을 찾을 것. 우리(엄마, 나, 동생)는 집에서 새벽 5시에 출발해 청주공항으로 갔다.

청주공항은 처음이다. 이용 결과는 대만족. 우선 거리가 가까웠다. 집에서 50분도 안 걸리고 수속 절차도 빨라 터미널에서 버스 타는 기분으로 비행기를 기다렸다. 공항은 인천과 김포의 공항만 이용했는데 이 정도면 육지 여행 가는 거랑 마찬가지다. 출발은 8시 20분. 아침 해가 비행기 안에 들어왔다. 무서움을 이긴 보상은 굉장했다.

빗방울이 내려 걱정했는데 구름 위는 평온했다. 마치 사파리에 온 기분이 들었다. 놀이공원 사파리에서 사자, 호랑이, 곰을 보듯 나는 해와 구름을 가까이에서 보고 환호한다. 이런 기분은 어른이 돼도 마찬가지다. 그리고 새삼 느꼈다. 구름 위에는 해밖에 없구나.

혹시나 UFO가 있을까 했지만, 어쩌면 용이 나올지도 모른다 생각했지만, 정말 해밖에 없다. 그래도 혹시나 하고 포기하지 않고 계속 하늘을 주시했지만 그것도 잠시, 윙윙거리는 비행기 소리에 내 부정 파워가 작동한다. UFO는커녕 진짜 떨어질 수도 있겠는데?

결국, 비행기 안에서 우리 집은 보지 못했다. 비가 내리고 있어 구름이 가득했다. 새삼 역시 비는 구름에서 내리는군, 신기했다. 그래서 집에 올 때 바짝 긴장했다. 하늘 아래에서 우리 집을 찾아야 한다. 다행히 출발할 때 날씨가 좋았다.

바다를 건너 육지가 보였다. 하지만 너무 작아서 미니어처처럼 보였다. 그리고 아래에서 위를 올려다보는 것과 위에서 아래를 내려다보는 것이 정말 다르다고 느껴졌다. 문득 이론적인 생각에 빠졌다. 그래서 아래를 내려다보는 사람들은 일반 사람들을 이해하지 못하는 걸까. 다들 고만고만해 보였다. 어디까지가 경상도이고 충북인지 가늠할 수 없었다.

어쩌면 우리 집에는 청주공항으로 가는 비행기가 없는 게 아닐까? 도착 시간까지 20분 남았다. 초조해졌다. 어쩌면 저게 사이클경기장일까? 포란재인가? 아니면 내가 초조해서 만들어낸 착각일까? 하는 사이 미타사 지장보살님이 보였다. 나도 모르게 합장했다. 역시 동양 최대의 지장보살 입상이다. 비행기는 한벌리―충도리―구안리 쪽으로 향했다. 하지만 저것이 우리 집인지 알 수 없었다. 고가 다리가 보이긴 했지만 확신할 수 없었다. 하지만 그것만으로도 아빠의 숙제가 해결된 기분이 들었다. 비행기는 증평에서 공항까지 왔다가 다시 증평 한 바퀴를 돌았다. 공항에 고라니가 뛰어 들어와서, 라고 했다. 기장의 말에 승객들은 작은 웃음을 지었다. 고라니는 하늘에서도 문제였다.

무사히 집에 왔다. 궁금증은 풀렸다. 오래된 신화의 유적을 발견한 탐험가라도 된 것 같다. 하늘은 여전히 파랗고 우리 집 앞을 지나가는 비행기는 청주공항을 향해 간다. 아빠의 말은 사실이었다. 비행기를 볼 때면 그날의 감정이 떠오른다. 직접 보아야 알 수 있는 설렘이다.

파생소비

별 보기를 좋아한다. 정확히는 소원 비는 것을 좋아한다. 빛나는 별과 달을 보며 소원을 빌면 나의 소망이 우주에 닿아 이루어질 것만 같다. 그래서 열심히 빈다. 2021년 12월 14일. 나는 진즉에 다이어리에 동그라미를 쳤다. 쌍둥이자리에서 유성우가 쏟아지는 날이다. 딱 그날만 쏟아지는 건 아니지만 그때가 극대기라 가장 많은 별똥별을 볼 수 있다. 정보를 더 알아보기 위해 검색을 하다가 증평 좌구산 천문대에서 그날 관측회를 한다고 했다. 당장 예약했다. 운 좋게 내가 마지막 문을 닫고 들어갈 수 있었다.

당시 간절한 소원이 있었다. 별똥별을 잔뜩 봐서 내 소

원을 이루고 싶었다. 또 하나의 욕심은 별똥별을 사진
으로 찍고 싶었다. 별똥별뿐만 아니라 빛나는 별들도
잔뜩 찍어 두 눈에 새기고 싶었다. 그러기 위해선 카메
라가 필요했다. 사진으로 찍으면 내 것이 될 것 같았
다. 홈페이지에서 읽어보니 카메라를 들고 가면 배울
수 있을 것 같았다. 유튜브를 통해 배울 수 있지만 현장
에서 배우는 것과는 분명 다를 것이다.

나와 동생은 큰맘 먹고 DSLR 카메라를 샀다. 어차피
초보자라 중고거래 앱을 이용해서 캐논 650D를 렌즈,
삼각대 포함해서 20만 원을 주고 구매했다. 좀더 알아
보면 좋았겠지만 시간이 급했다. 릴리즈도 사야 했다.
긴 노출 촬영을 찍을 때 필요한 물건이라고 한다. 핫팩
도 샀다. 동생은 장갑도 샀다. 준비는 완벽했다. 나는
소원을 빌 준비만 하면 되는 것이다.

하지만 관측회는 당일 취소되었다. 눈이나 비가 내린
다는 예보가 있었기 때문이다. 카메라도, 삼각대도, 릴
리즈도, 핫팩도, 내 마음도 준비가 되었는데 날씨만 준
비가 되지 못했다. 다행히 기회는 금방 다시 찾아왔다.

※

2022년 1월 4일 사분의자리에서 유성우가 다시 한번 떨어진다. 밤 9시 30분부터 관측이라 숙소를 예약했다. 야간 운전에 대한 부담도 있었다. 날이 다가올수록 설마했던 기우는 역시 맞았다. 관측회는 또다시 당일 취소되었다. 그래도 마음은 어느 정도 비워서 동생과 즐기기로 했다. 우리는 부모님이 봤더라면 깜짝 놀랄 만큼의 음식을 잔뜩 사서 좌구산 휴양림에 갔다. 휴양림 올라가는 길에는 청사초롱 조명이 있어서 멋있었다. 다리의 조명도 아름다웠다. 그것만으로도 우리는 설레며 다음에는 부모님과 같이 오자고 했다.

저녁을 맛있게 먹고 우리는 좌구산 천문대로 올라갔다. 다행히 하늘은 맑았다. 나무 사이사이 총총히 빛나는 별들이 꼭 가지에 달린 보석 같다. 언제나 그렇듯 아름다운 것을 보면 그것을 두고두고 보고 싶다. 언제든지 꺼내 보고 싶다.

밤 8시부터 10시까지 하늘을 보았지만 아쉽게도 별똥별은 하나도 보지 못했다. 돌아오는 길에 아쉬워 다시 하늘을 보고 숙소에 들어갔다.

우리는 텔레비전을 ASMR처럼 틀어놓고 각자의 볼일을 보았다. 내 방의 일상과 다름없다. 우리는 별똥별을 찍기 위한 파생소비 비용을 계산했다.

디지털카메라, 릴리즈, 핫팩, 장갑(안타깝게도 산 지 하루 만에 잃어버렸다), 숙소 비용, 저녁 음식값, 자동차 기름값. 재미있게도 숙소 비용보다 저녁값이 더 나왔다.

'파생소비'는 무언가를 삼(함)으로써 부수적으로 발생하는 또 다른 소비를 말한다. 〈국민 영수증〉 방송에서 본 단어다. 공감 가는 회차가 있다. 무소유를 경험하기 위해 템플스테이를 신청했는데 무소유를 경험하기 위해 간 템플스테이의 파생소비 비용은 130만 원이 넘었다.

요즘 나는 〈금강경〉을 읽고 있다. 특히 '제1장. 법회가 열리는 인연'에서 석가모니 부처님이 공양을 마친 뒤 발을 씻고 자리를 펴는 장면은 언제나 읽어도 전율이 일어난다. 나도 이와 같은 마음으로 살겠다 다짐해본다.

그래서 산 책이 〈금강경 사경〉이다. 사실 나는 〈금강경 사경〉 이외에도 〈반야심경 사경〉, 〈지장경 사경〉, 〈법화경 사경〉이 있다. 그 어느 것도 완경하지 못했다. 마음에 담고 싶을 뿐이었는데 어느새 욕심이 되었다.

좌구산 휴양림에서 내려온 날, 나는 포기를 못 하고 집 마당에서 별똥별을 기다렸다. 극대기가 지나서인지 방향을 못 잡아서인지 한 시간을 보았지만 별똥별을 보지 못했다. 하지만 별은 어제보다 더 깊고 밝게 빛났다.

보통날

아침 6시 알람에 눈을 떴다. 인터넷서점 선착순 쿠폰을 내려받아야 한다. 500원이 당첨됐다. 이런 내 모습을 보고 동생이 한마디한다. "500원 때문에 일찍 일어났니?" 복권은 쉽게 사면서 책은 쿠폰이 없으면 쉽게 사지 못한다.

7시에는 아침을 먹었다. 오랜만에 먹는 아침. 전날, 엄마가 먹고 싶은 게 뭐냐고 묻기에 계란말이라고 답했다. 식탁에는 소고기미역국과 계란말이가 있었다. 새삼 나는 참 행복한 사람이구나 느꼈다.

9시에는 소이면에 있는 농기계 임대사업소로 콩을 고

르러 갔다. 예전에는 겨울이면 엄마와 밥상에 앉아 온
종일 콩을 골랐는데 이제는 선별기에 콩을 넣으면 알
아서 골라준다. 11시에 일이 끝나 부모님은 바로 충주
로 콩을 팔러 가셨고 나와 동생은 집으로 돌아와 씻었
다. 씻고 나니 귀찮았다. 그대로 낮잠이나 잘까 하는데
동생이 나가자 했다.

무엇을 먹을지 한 시간 넘게 고민하다 새로 생긴 가게
로 정했다. 운전은 동생이 했다. 라디오를 트는데 태연
의 〈제주도의 푸른 밤〉이 흘러나왔다. 이 노래는 머리
말릴 때 흥얼거렸던 노래다. 별것 아닌 우연에 나는 기
분이 좋아졌다. 음식은 맛있었다. 후식으로 카페에 가
서 바닐라라떼를 시켰다. 달짝지근한 바닐라라떼를 마
시며 지키지 않을 계획을 잔뜩 세웠다.

나온 김에 미타사 지장보살님을 보러 갔다. 라디오에
서 성시경의 〈두 사람〉이 흘러나왔다. 요즘 자주 듣는
노래다. 깜짝 선물을 받은 기분이 들었다. 구름 사이로
쏟아지는 볕도 좋았다. 복권 가게에도 갔다. 즉석복권
만 원어치를 샀다. 내 배포는 여기까지다. 집에 돌아가

는 길에는 빵집에 들러 케이크 하나를 샀다.

강아지 산책을 시키고 고양이 밥을 주고 저녁을 먹었
다. 그리고 후식으로 커피와 함께 케이크를 먹었다. 복
권은 열 장 중 세 장이 천 원짜리 당첨이 되었다. 천 원
이 당첨될 확률은 3.3분의 1이다. 이런 내용을 일기에
적고 보니 여느 날과 비슷한 하루다. 오늘은 내 생일이
었다.

언제부터인가 생일이 내키지 않았다. 어린 시절, 생일
을 잊고 지낸다는 어른들의 말을 믿지 않았다. 생일은
자신의 인생 중 가장 특별한 날이라고 여겼다. 예수님
생일도 석가모니 부처님 생일도 나라에서 기념일로 지
정할 만큼 특별한 날이다. 생일은 그런 거라 생각했다.
모두에게 축하받는 것.

나는 가족을 제외하고 남에게 생일 축하를 받은 적이
거의 없다. 학창 시절에는 방학 때 생일이었고 성인이
되었을 때는 친구들과 멀어졌다. 자초한 결과였다. 그
래도 생일에 축하 메시지 하나 없는 문자함을 볼 때마

다 울적했다. 축하받지 못하는 삶이 실패한 인생처럼 느껴졌다. 그렇다 해서 생일 축하받자고 맺고 싶지 않은 관계를 유지하고 싶지는 않았다.

그래서 생일이면 혼자 잘 놀러 다녔다. 미술관에도 가고 박물관에도 갔다. 맛있는 음식을 먹으러 다녔고 좋아하는 것들도 생일이니까 샀다. 그것도 잠깐이었다. 점점 생일을 기억하려고 애쓰는 게 구차해졌다. 그래서 흘려보냈다. 그러다 보니 정말 어른들 말씀대로 생일이라고 특별히 와닿지 않았다. 오히려 생일은 마음의 짐이었다. 생일이 지나야 마음이 편했다. 아무 일도 아닌 날, 아무것도 안 해도 되니 마음이 편했다.

오기였다. 거절이 두려워 먼저 거절하는 사람처럼 나는 나의 생일을 없애려고 했는지 모른다. 불편한 마음이 싫었다. 잊은 척 스치고 싶지 않았다. 사심 없이 기쁘게 생일을 맞이하고 싶었다. 하지만 피곤과 잠이라는 암초에 걸려 무산될 뻔했지만, 생일이라 참았다. 그런 작은 각오가 나를 일으켰다.

평소와 비슷한 날이었지만 즐거웠다. 오늘따라 유난히 예뻤던 하늘에 행복했고 우연히 튼 라디오에서 좋아하는 노래가 나와 기뻤고 기도를 많이 할 수 있어 좋았다. 엄마의 미역국도(어쩌면 내가 태어난 날이 엄마 인생에서 가장 힘든 날이었을지도 모르는데) 제부가 보내준 기프티콘도 감사했다. 보통날이어도 분명 즐거웠을 하루지만 내 마음에 갇혀 아무것도 안 했으면 누리지 못했을 행복이었다. 어쩌면 그것이 생일이 나에게 준 선물인지도 모른다.

와립 인간

주로 누워서 생각한다. 책도 엎드려 누운 자세로 읽는
다. 누워서 유튜브를 본다. 배가 불러도 눕는다. 졸리
면 눕고 안 졸려도 눕는다. 직립(直立) 인간으로 태어났
지만 집에서는 와립(臥立) 인간이 된다. 옛말에 먹고 누
우면 소가 된다고 하지만 내가 본 소는 나보다 부지런
하다. 아마 먹고 눕는 생활을 하면 다음 생엔 나는 내가
되지 않을까.

사람이 죽으면 평생 잔다고 하지만 나는 죽으면 그게
잠인지 인식하지 못할 것 같다. 그래서 지금 누울 수 있
을 때 최대한 누워보려고 노력 중이다. 난 정말 누워 있
는 생활이 좋다. 느긋한 게 좋다.

그래, 분명 내가 누워 있는 이유는 높이 뛰기 위함이
다. 개구리가 높이 뛰기 위해 움츠리듯 나의 누움도 그
런 것이다. 그렇게 자기합리화하며 누워서 게임을 한
다. 최대한 머리를 비워야 한다. 머리를 공(空)으로 만
들어 외부의 공(空)과 같게 만들어야 한다. 그래서 게
임을 하고 유튜브를 보고 책을 읽는다. 하지만 안타깝
게도 머리는 더 복잡해지고 잘 때는 자괴감만 든다. 그
래도 나는 또 눕는다. 그때가 가장 행복하다. 행복한데
왜 잠이 들 때면 죄책감에 시달릴까.

요즘 즐겨 보는 프로그램은 〈요즘 육아 금쪽같은 내 새
끼〉다. 아이는 없지만 아이의 문제 행동을 보며 어린
시절의 내 모습을 돌아보고 자신도 몰랐던 것을 깨닫
게 된다.

방송 내용에 종일 누워 생활하는 아이가 나왔다. 선생
님이 물었다. "이 아이는 왜 누워 있을까요?" 부모님
은 게을러서라고 말했다. 아이는 긴장감이 높은 아이
였다. 그 장면을 통해 '내적 긴장감'이라는 단어를 알
게 되었다. 그 단어를 듣자 그동안 내가 왜 누워 있는

생활을 좋아했는지 알게 되었다. 인지하지 못했지만 나는 내적 긴장감이 매우 높은 사람이었다.

나는 예상하지 못한 상황에 굉장히 예민하다. 밖에서 활동할 때도 그렇고 모임 때도 그렇다. 그때는 웃고 떠들었지만, 혹시 내가 말실수를 한 게 아닐까? 그때 나는 왜 그런 쓸데없는 행동을 했을까? 자책하고 괴로워하다가 그냥 눕는다.

나는 그것을 '충전'이라 생각했다. 내가 누워 생활하는 건 '충전' 중이라고. 하지만 늘 방전 상태. 매일 누워 있음에도 나는 왜 충전되지 않는 걸까? 언제나 누워 있는 핸드폰처럼 전기에 꽂혀 있을 땐 쌩쌩한 거 같지만 충전기 선을 빼버리면 바로 방전이다.

그래서 나는 밖으로 잘 나가지 않는다. 지금은 코로나 시국이라 만남이 거의 없지만, 사실 나는 코로나 이전의 삶과 다르지 않다. 코로나가 없었을 때도 나는 집 밖을 잘 나가지 않았다. 나에게 외출은 약속에 의해서만 정해지는 것이다.

내 안의 긴장감을 떠올렸다. 나는 아무것도 하기 싫다. 하지만 해야 한다. 그것도 잘해야 한다. 물론 잘하라고 말하는 사람은 아무도 없다. 트집 잡히기 싫다. 이런 마음들이 여기저기 통통거리며 튀어 다닌다. 마음의 크기는 우주처럼 알 수 없다. 불안할수록 마음의 깊이가 우주만큼 깊다는 걸 알게 될 뿐이다.

긴장은 마음의 온도와 외부의 온도가 다를 때 생긴다. 대부분 내 마음을 외부의 온도와 맞추려고 할 때 긴장되고 경직된다. 외부의 온도를 따라잡기가 너무 힘들다. 충전 배터리를 올리듯 내 마음을 충전시켜야 한다.

어떻게 하면 내 마음의 온도와 외부의 온도를 맞출 수 있을까. 어떻게 해야 긴장하지 않고 편안해질 수 있을까. 아직 정답은 찾지 못했다. 그래도 이유를 알았다는 것만으로도 전보다 마음이 가벼워진다. 누워서 이런 생각을 더듬고 더듬어본다.

다 시

봄

어느새 살며시

이제 막 동면에서 깬 곰처럼 밖을 나왔다. 파랗게 눈부신 하늘에 나도 모르게 눈을 찡그렸다. 아직 내 안은 겨울인데 벌써 봄이 온 듯했다. 동생이 장에 가자 했다. 요즘 동생은 장에서 파는 튀김만두에 푹 빠졌다. 튀김만두는 어묵 파는 아저씨가 같이 파는 것으로 장날에만 사 먹을 수 있다. 지금 같은 세상에 클릭 하나면 다 살 수 있다지만 그곳 만두튀김은 다르다. 개인적으로 나는 그 집 떡어묵을 좋아한다.

설성공원에 차를 세웠다. 장날 때문인지 볕 때문인지 공원에 사람이 많았다. 운동하는 사람, 산책하는 사람, 개를 데리고 나온 사람, 공놀이하는 아이들까지. 다들 마스크를 끼고 있지만 눈빛은 반짝였다. 그건 마스크로도 가릴 수 없는 것이다.

일부러 수정교까지 걸어갔다. 무엇을 사러 나왔다기보다 천천히 구경하고 싶었다. 수정교부터 장 시작이다. 주걱에서 드라이버, 수도꼭지까지 자잘한 살림을 파는 잡화점부터 장독대, 나무 파는 상인도 나왔다. 사지도 않으면서 괜히 천천히 훑어본다. 상인도 공짜 구경에 인심이 후하다. 다리 끝에서 반대편으로 걸어갔다. 음성 장은 도로를 막고 장이 선다. 작년 대공사를 마치고 올해 있던 자리로 돌아왔다. 그러면서 미세하게 자리가 바뀌었다. 사거리 초입에 있던 도넛 가게가 없어졌다. 대신 그 옆으로 옮겼다.

사거리에 들어서자마자 고소한 짠내가 났다. 냄새를 따라가니 번데기 가게다. 번데기를 사 먹은 지 오래다. 평소라면 냄새는 좋지만 그냥 지나갔을 텐데 번데기가 어지럼증에 좋다는 이야기가 생각났다. 작년 엄마는 어지럼증으로 고생을 했다. 정작 그때는 번데기를 먹지 않았다. 나는 엄마 핑계로 종이컵으로 두 개를 샀다.

얼마 안 가 해산물 파는 곳이 나왔다. 장에 나오는 이유
중 하나다. 다른 것은 마트에서 살 수 있지만 생선은 다
르다. 꼬막과 주꾸미가 눈에 보였다. 주꾸미는 지금이
제철이다. 며칠 전 제부가 주꾸미 먹고 싶다는 이야기
를 했던 것 같다. 어쩌면 그 말을 한 건 나였는지도 모
른다. 엄마가 꼬막을 사고 주꾸미 가격을 물어보았다.
가격을 들은 나는 괜찮다 괜히 추임새를 넣는다. 사실
주꾸미 시세 따위는 모른다. 엄마는 꼬막과 주꾸미를
샀다.

떡볶이와 순대 파는 가게를 지나 반찬 가게도 지나갔
다. 예전엔 젓갈 파는 곳은 하나밖에 없었는데 점점 젓
갈이나 반찬 파는 가게가 늘어났다. 구운 김도 맛있다.
하지만 저번 장에 김과 젓갈을 샀기 때문에 사지 않았
다. 신발 가게를 지나 이불 파는 곳, 옷 가게도 지났다.
우리 집은 인터넷으로 사지 않는 게 있다. 이불, 옷, 신
발. 몸에 닿는 건 조금 비싸더라도 손으로 만져보고 산
다. 오래 쓸 것들이다. 함부로 살 수 없다.

214   오늘은 눈으로 실컷 본다. 건어물 파는 가게를 지나갔

다. 한식 때 올릴 포를 사야 했다. 한 마리 두 마리 고르다 엄마는 산소가 몇 개인지 세어본다. 나는 열 개 묶음인 황태포를 보았다. 나는 가격을 물어보았다. 일고여덟 마리 사는 것보다 열 마리 사는 게 훨씬 이득이었다. 상인은 용대리 황태라고 넌지시 말했다. 나는 열 마리를 사자고 했다. 눈에 저절로 빨갛게 구운 황태구이가 눈에 선했다. 실은 내가 조상님보다 황태를 더 좋아한다. 엄마는 달라고 했다. 엄마가 옆에서 값을 치르는 동안 동생은 다른 것을 보다가 마른 문어 다리 가격을 물어보았다. 상인은 맛있는 거라고 했다. 엄마는 그것도 하나 달라고 했다.

속옷 가게를 지나가는데 눈에 띄는 속옷이 있었다. 시골 장터에 파는 속옷은 일반 속옷 가게서 볼 수 없는 '키치한' 멋이 있다. 최근 밀란 쿤데라의 〈참을 수 없는 존재의 가벼움〉을 읽었다. 키치한 것에도 철학이 있다. (설명하라고 하면 못하지만) 나는 철학 하나를 샀다. 값은 엄마가 지불했다. 시장 끝 생선 가게를 지나 떡 가게에 갔다. 동생은 어묵 파는 가게에 갔는데 이미 장사를 파했다. 동생은 실망하고 떡 가게로 왔다. 한식이라

떡도 맞춰야 했다. 나는 찹쌀떡 두 팩을 샀다.

최근 내가 빠져 있는 건 찹쌀떡에 아이스 아메리카노를 마시는 것이다. 어느 날 갑자기 찹쌀떡이 떠올랐다. 떠오르니까 먹고 싶어졌다. 그것에 이유나 동기 같은 건 없다. 그럴 때가 있다. 굳이 모든 것에 이유를 찾을 필요가 있을까.

결국 내가 좋아하는 것만 샀다. 괜히 의기양양하다. 다시 설성공원으로 돌아갔다. 가는 동안 어느새 살며시 내 안에 봄이 다가왔다.